CHANCE: FROM TURKEY WITH LOVE

CHANCE: DE TURQUÍA CON AMOR

Para Sophia y Bob:
Happy Reading!
[illegible]
2021

CHANCE

From Turkey With Love

Armando González-Pérez

Illustrated by Jeanne Willoughby

MISSION POINT PRESS

IN PRAISE OF *CHANCE: FROM TURKEY WITH LOVE*

American writer Edward Hoagland once said that "in order to enjoy a dog, one doesn't merely try to train him to be semi-human. The point of it is to open oneself to the possibility of becoming partly dog." And in essence, in the style of *Platero and I*, Armando González-Pérez takes us to that doggy world, to a place where the canine mixes with the human to such a degree that the reader does not know if Chance´s political ideas are his or if the writer has transported us to another dimension. It is a book that can be read with authentic childish interest or with a critical adult eye, as the book makes us see human anti-values such as the greed of a dog salesman or the human hypocrisy embodied in Mustafa and how fate gave Chance another opportunity in life, another chance.

—Nelson López Rojas, author of *Downpour*

As a veterinarian, I have always speculated as to the life experience, that many of our rescued companions endure before finding their forever homes. This is a poignant story told from a dog's perspective, highlighting the human-animal bond and unconditional love of dogs. Chance's amazing journey across continents, to find his permanent home, is just one example of what rescue animals go through, and the mutual benefits received by owners and companions alike.

—Dr. Ryan Warnemuende, Jensen's Animal Hospital

Armando González-Pérez´s story is one that narrates the trial and tribulations told through the eyes of its protagonist Chance, the wandering golden retriever. This is a charming and heartwarming tale that will be enjoyed by children as well as adults. It tells about a puppy born somewhere in Turkey and ends up as a beloved pet in Michigan. It brings to the forefront the mysterious but real connection between humans and dogs, from the canine perspective. Although lost in time, this association with our four-legged friends seems not to have brought us human beings much closer to understanding their sentient capacity, or that of any other creatures with whom we share the planet. This is a story of love, loss, cruelty, abandonment, and displacement that is also one of redemption, that reaffirms the happiness that love and fidelity our marvelous, shared companionship brings.

—Diana Álvarez-Amell, author of *Three Novels by Cirilo Villaverde*

A charming tale of a dog in search of love. Chance will steal your heart as he faces danger and adventure along the way to finding his forever home. A recommended read for dog lovers everywhere.

—Jenna Mindel, author of *A Soldier's Prayer*

Chance: From Turkey With Love

This is a work of fiction based on a true story. The names, characters, places, or events used in this book are the product of the author's imagination or used fictitiously. Any resemblance to actual people or animals, alive or deceased, is coincidental with the exception of two nonprofits: Adopt a Golden Atlanta, in Georgia, and Great Lakes Golden Retriever Rescue in Grand Rapids, Michigan.

Illustrated by Jeanne Willoughby
Edited by Anne Stanton
Book and cover design by Bob Deck

Readers are encouraged to go to www.MissionPointPress.com to contact the author or to find information on how to buy this book in bulk at a discounted rate.

Published by Mission Point Press
2554 Chandler Rd.
Traverse City, MI 49696
(231) 421-9513
www.MissionPointPress.com

ISBN: 978-1-954786-35-6
Library of Congress Control Number: 2021910963

Manufactured in the United States of America
First Edition/First Printing

To my wife, my soul mate, whose love and encouragement made this book possible.

To the rescue workers whose dedication helps many of our cherished animal companions.

The world would be a nicer place if everyone had the ability to love unconditionally as a dog.

—M. K. Clinton, author of *The Returns*

ACKNOWLEDGEMENTS

My most sincere thanks to all the people who made possible this dual publication of *Chance: from Turkey with Love/ Chance: de Turquía con amor*. Additional gratitude to Jenna Mindel, Teresa Dovalpage, Diana Álvarez-Amell, Nelson López Rojas, Ryan Warnemuende, Isabel Dunn and my wife, Jill, for reading the manuscripts and for their valuable suggestions. Special thanks to Jeanne Willoughby for her beautiful illustrations that captured the essence of Chance´s story. Many thanks to the people at Mission Point Press for turning the manuscripts into a book. I am very appreciative to the copy editor Anne Stanton for her expertise, kindness, and patience in answering my questions. Finally, thanks to all the animal rescue workers for rescuing dogs like Chance.

Blessings to all of you.

CONTENTS

PROLOGUE

"Chance, wake up! You are dreaming again! Everything is okay. Wake up!"

Chance was having another of his bad dreams, yipping and panting; his body jerked as he paddled his paws in the air. I guessed he was reacting to traumatic experiences still lingering in his memory. He momentarily woke up from his nightmare, looked at me with weary eyes, breathed heavily, and went back to sleep. Chance is an intelligent, loyal, and loving golden retriever. He came to us from Istanbul, Turkey, through Great Lakes Golden Retriever Rescue, a nonprofit based in Grand Rapids, Michigan.

In spite of all his hardships, Chance is an extraordinary dog who trusts and loves all people, especially children. This is a fictional account of his life based on the true story of his amazing international adventure.

CHAPTER 1
BORN TO LOVE

I was born in the small village of Şirince, Turkey, to love and to be loved. I was one of eight puppies in a litter of five females and three males. My dad was a large cream-colored golden retriever and my mom a medium-size one, much darker. She could have had some Irish setter in her. Both of my parents had silky coats and honey-brown eyes. I fondly remember my rambunctious siblings and my sweet mother whose urgent growls and scolding taught me and my siblings how to behave and our place in a dog's social structure. By the time we were eating a mush of puppy chow, right around eight weeks, Mom would walk away from us if we dared to climb on top of her for a sentimental sip. She was loving but considered her motherly duty finished.

My first contact with humans was the Tarik family, an extended family that included the parents, paternal grandparents, and three lovely children named Kaan, Adile, and Aysel. They called me Tombul because I whirled around the yard like a ball of fur. This was a kind family whose breeding and selling puppies was more than a business. They loved and took good care of us, but the time came when we were sold.

CHAPTER II
A LONG, BAD TRIP

The man who bought us was named Atak. He was not a very nice person. A spiteful man, with a heavy beard and a bad limp, he didn´t treat us well in our short time with him. After he bought us, he squeezed us in two, small, dirty cages and shut the doors with a clang. He heaved the cages in the back of his beat-up truck, and so began a long, boiling hot trip to the city of Istanbul. Atak didn't give us a bite to eat or even a drink of water. Not once did he let us out of our cages to relieve ourselves. We whined and barked in our tiny puppy voices and scratched at the wire, but Atak kept driving, and the cages slid this way and that at every turn. Despite the fact that I was compressed in the cage with three steamy pups, I had never felt so alone. I missed my human children. We all felt ashamed about having to poo and pee in our crate, but even worse, we had to lay on the hot mess we made on the blanket our Tarik mom so lovingly laid down for us. And the noise was deafening. We could hear birds squawk during the whole ride and empty wine bottles rolled around the truck bed. I put my paws over my ears, but it didn't help.

Atak spent the whole trip threatening us.

"Stop bothering me! You are driving me crazy with your whimpers and barking. Shut up or I will dump you out on the road. Nobody will pick you up and take care of you as I do. Shut up!"

We knew he was just bluffing. He loved money and wine too much to get rid of us. He told his friend on the phone that he didn't pay much for us, and we were a good investment. Every time he stopped to buy gasoline for his old truck, he would stomp out of the gas station, screaming about how he was robbed.

"What a bunch of thieves! They all should be in jail. Their gasoline is overpriced, their food tasteless, and their wine adulterated."

He was so mad that he turned his anger against us.

"You dirty dogs are as bad as those scoundrels. Stop barking! You make the birds squawk. Once I sell you, everything will be peaceful again."

If we whimpered and barked, it was because we were starving and sad about leaving our human family. We worried what would happen next. The trip was a nightmare. As we approached the outskirts of the city of Istanbul, he shouted, "We made it! We made it! Thanks be to Allah, the Compassionate, the Merciful."

Atak was acquainted with the city and drove like a maniac to a pet shop located in the Sariyer district where he would sell us. He believed we were in high demand by the wealthy people who lived there. He was so blinded by greed that he bragged aloud about how much money he could get for us.

"I will sell you soon and be rich. I won't have to put up with your whimpers and smell anymore, wretched and unclean animals."

CHAPTER III
HAGGLING

Atak´s grouchy demeanor changed dramatically when he arrived at the pet shop and met with the owner, an older man with kind brown eyes.

"Your honor Ismael, may Allah the Compassionate, the Merciful, bless you. I bring you good news. I have in the truck the eight puppies and the exotic birds I promised you. I bought these puppies in Şirince from a legitimate and reputable breeder. You should have seen their parents. Magnificent purebred dogs! They were beautiful golden retrievers and well fed. He also assured me that they came from Scotland. My lord, look at the puppies. They are the prettiest and smartest ones I have ever seen. They will be bought right away. The wealthy people here will pay good money for them. I am selling them to you at a low price. I am asking only 180 liras for each one of them, but I will lower the price to 840 liras for the entire litter. A real bargain!

"I am also reducing the price of the exotic birds that I brought; 60 liras for each one or 130 liras for the three of them. They are very pretty birds. They come from South America and sing beautifully. Look at their colorful plumage. Aren´t they stunning? I have also taken good care of them in the short time I have had them. Do we have a deal?"

Ismael's eyes hardened and asked Atak if he took him for a fool. He began to laugh and then scolded him sharply.

"Atak, stop your idiocy. Your asking price is a joke. I am sure you paid a pittance for the puppies to whomever you call a reputable breeder. He must have been a poor farmer whom you took advantage of by buying the whole litter. How can you say that you took good care of them? Look at the condition of the puppies. They are dirty and the stench of urine and poop makes it hard for me to breathe. Their fur is matted, and they probably have fleas.

"As for the birds, only God knows where you bought them and how much you paid for them. They are scrawny, and I haven't heard them sing yet. How can I trust that they will sing as beautifully as you say? My offer is 470 liras for the litter and 70 liras for the three birds. Take it or leave it!"

Atak scratched his beard and remained silent for a moment thinking about this counteroffer. He wasn´t about to give up easily. It was not the first time he had to resort to his ability as a salesman to get his way. He moved close to our cages and continued bragging about us, hoping for a better price.

"But your excellency, look again at these gorgeous pure-bred puppies. Once bathed and groomed, you will see their natural beauty. I guarantee they are loyal and have an excellent temperament. They didn't give me any trouble during the whole trip. They were calm and slept the whole time."

I thumped my tail over that lie. How could we sleep when our stomachs growled with hunger!

Atak continued: "They just whimpered a little bit when I left them alone and went to buy gasoline. But they stopped once they saw me again. What about 525 liras for the litter and 85 for the birds?"

Ismael walked to our smelly cages. Checked us over. Then, he turned toward Atak and berated him again for the way he handled us and his lack of knowledge of our real value in the market.

"You've got to be kidding. Look at them. They are a total mess because of your carelessness. You also need to know a few facts about the market price for this type of dog now. The interest in this breed has recently decreased—by a lot! It used to be a status symbol to own a golden retriever and they were in high demand. But not anymore. The health problems from overbreeding make them less marketable. Many are abandoned to fend for themselves as they get older. Golden retrievers are docile by nature and have a tough time surviving in the streets or in the forests against more aggressive breeds. The fact is that their selling price has plummeted. My final offer is more than fair. You know that other sellers will be coming by with a better price than yours."

The astute Atak was taken aback by such hard bargaining, but he realized that Ismael was right and was never going to budge. He thought for a moment about his final offer and grudgingly gave in. As he left the pet store, he cursed him in a hardly audible voice that only we could hear because of our extraordinary sense of hearing.

"Scoundrel! Bloodsucker! Always exploiting poor people like me. You just treated me like trash. I am not a bum, a nobody. I am a poor man trying to make a living like anybody else. May Allah, the Compassionate, the Merciful, forgive him!"

As soon as Atak left, Ismael told his two helpers to put

each one of us in bigger cages with food, water, and a clean blanket to lie on. He then told them to bathe us right away. I whimpered because I missed my sweet mom and romping around with my siblings. Most of all, I longed for the hugs and cuddling of the Tarik children. However, I began to feel better after being fed and groomed. Now I had more space in the cage to move around and sleep without my brothers and sisters poking me with their paws.

CHAPTER IV

THE SADIK FAMILY

I was very happy because after a few days in the pet shop a Muslim family bought me. It was the Sadik family of Alim, Soraya, and their two children, a 13-year-old boy whose name was Ali and his 8-year-old sister, Aceyla. The children hugged and petted me, even fighting over who got to hold me! I was finally getting the respect I deserved. A skinny young man who worked for the pet shop moved me to another small clean cage and carried me out to an SUV, the family car. He put me way in the back. I began to whimper, for I had terrible memories of that last car ride and wanted to sit closer to my new children. The parents were not as friendly as their kids. After shouting at me to be quiet several times, the father got mad and pulled the car to the side of the road. His face was red as fire and he told his wife that it was a mistake to have bought me.

"Soraya, don't you realize that he is already a nuisance? He will have to be trained. Who is going to do it? We don't have the time. I am too busy with my work and politics. You don't have time either with your teaching and social life. Who is going to take care of him? Besides, you know that he cannot be allowed in the house."

She sweetly told him that I was going to live in the courtyard and the gardener would train me.

"Alim, my darling, don´t you worry. Everything will be okay. I will see that he stays in the courtyard and be trained by Mustafa. This is a beautiful and intelligent puppy. He will adjust quickly and learn his place in our family. My girlfriends will be jealous when they know we bought this puppy. Besides, the children will have another friend to play with after school."

Then, she told him to move the cage to where the children were seated. I was so happy when he did. We finally arrived at their home. It was a big house with a beautiful walled-in courtyard full of fragrant flowers. My new owner was a serious and direct man with piercing black eyes. He worked as a banker and was involved in politics. His wife Soraya was a vivacious, pretty woman who taught music part-time at a conservatory. She was very much concerned with her social status and her looks, constantly fluffing her long hair in the mirror.

After a while, I began to whimper and whine because I wanted to be let out of the cage so I could play with the children. I wanted to show my love and affection to everybody. It saddened me when I heard that I had to live in the courtyard, separated from my new family. Unfortunately, this type of arrangement happens among some Muslims who consider dogs unclean animals and never allow them in the house. I remember the pet shop owner was talking about this sad state of affairs to his skinny assistant. He said the Holy Koran doesn't say animals are dirty. In fact, the opposite! He said animals are cherished as part of Allah's creation and we should respect his creation: *"All the beasts that roam the earth and all the birds that wing their flight are communities like your own. We have left nothing in Our Book. They shall all be gathered before their Lord."*

He finished by saying "Surah, 6:38," which confused me.

I later learned the Islamic religion doesn't forbid owning a dog but as a matter of hygiene, most Muslims feel pets are better kept outside.

Even though my family was not an exception to this way of thinking, they cared for me in their own way. I remember that shortly after my arrival, Alim took me in a cage to the Wellness Veterinary Clinic for a checkup. The trip this time was quieter than when he brought me home after buying me at the pet shop in Istanbul. I didn't whine, and he didn't scream at me.

Once we arrived at the clinic, Alim met with Dr. Mesut, a family friend, who was wearing a white coat, smelling like the strange animal I saw when we first walked into the office. What I later learned was a cat that turned and hissed at me when I tried to sniff under her tail, which I thought was rude. She obviously hadn't learned how to properly greet cute puppies like me. Dr. Mesut greeted Alim enthusiastically and was happy to see him.

"Good morning Alim. How nice to see you again! We missed you at the last two soccer youth meetings. Your boy Ali is a really good player. They were talking about moving him up to the traveling team. What do you think?"

"Mesut, I am so happy for Ali. But I don't know if I can attend all his games, especially when I myself am traveling. I am sorry I didn't attend those meetings, but lately I have been really busy at work. I just took some time off this morning to bring you this puppy that Soraya convinced me to buy. She has been badgering me for a while to get a pet.

You know how persuasive she can be. I finally gave in and bought him. She wants to be sure that he is healthy for the children's sake. They will be playing with him after school in the courtyard where he will live with the gardener."

The vet asked Alim to pick me up and put me on a table. I shivered on the cold, gray metal. The vet checked my heart and used both hands to pet my body head to toe, which I enjoyed. But then he snapped on a glove and inserted his finger, well, I won't go into it, but I liked him much less after that. He pronounced me to be in excellent health. He then told Alim, "This is a beautiful puppy, and he is in top shape. I recommend that we put in him a microchip, with your name and other permanent information, in case he runs away and someone finds him. This type of breed is sometimes even stolen. You need to safeguard him, just in case."

It didn't hurt when the vet put the microchip in me and then he gave me some treats. I forgave him for everything. Alim bid farewell to his friend and took me home. I thought it was silly they talked about me running away. I would never run away, in spite of having to live in the courtyard with the gardener who constantly gave me the evil eye. Joyless days loomed on the horizon with him, but I had to be positive. Hopefully, I would eventually move into the house with my new children.

CHAPTER V

A NEW NAME

The story behind my different names is related to the ups and downs of my adventurous life. The Tarik family used to call me Tombul when I was little. Now the Sadik family was planning to name me Scoit because Ismael, the pet shop owner, told them that I was from Scotland. I really didn´t care whether they called me Tombul, Scoit, or Scott. What I really wanted was to be loved and taken care of by them. Soraya liked the name Scoit. She thought it was royal and appropriate for my golden color. I still remember the conversation she had with her husband before buying me.

"Alim, look at the precious puppy in the third cage. The store owner assures me that he came from Scotland. He considers him one the most beautiful and best golden retriever puppies he has had for sale in a long time. Look at him. Isn't he gorgeous? He is selling him for only 200 liras. He is a real bargain. As you know, it is fashionable to own this type of breed. If we buy him, I could brag about him to my girlfriends. Besides, the children will have a friend to play with in the courtyard. Come on! We have to decide soon before someone else buys him."

Soraya was very charming and persuasive, so I was happy when they bought me. But I still remember that when she put her hand in the cage to pet me and I tried to lick it, she jerked it away. Was it for fear or did she consider me impure? I don't know, but I felt there was no tenderness or affection coming from her when she touched me. How sad! I loved her too, but she just bought me to satisfy her vanity and to be another toy for her children to play with.

CHAPTER VI
SAD DAYS

I spent many sad days with the Sadik family under the care of their hateful gardener. I was confined to a cage most of the time. I was let out only when the children came to play with me or when I barked furiously because I had to pee or poo. I hated lying in a messy cage. Once out of the cage, I romped around and explored every corner of the courtyard with its wonderful aroma of lilies, rose bushes, and tulips. Sometimes I peed or pooped in the myrtle–shiny green leaves with a fresh scent that I found irresistible. What better place! But then Mustafa shouted, swore, and chased me. When he caught up with me, he grabbed my collar and then pulled me violently by the leash and slapped me on the nose. I growled and bared my teeth so he would stop.

As I grew bigger and stronger, things got a little bit better. I was allowed to spend more time loose in the courtyard if I did not mess up the flowers. But at night, Mustafa pushed me back into the cage.

He was not only cruel to me but a hypocrite. He always flattered Soraya, while bad mouthing her to Asmiye, the family's housekeeper, who wore a constant scowl when she was with the two children. They gossiped endlessly about Alim and his secret political meetings. They wondered aloud about the strangers who picked him up in the dark of night, their headlights off as they coasted up the driveway. Was he part of the rebel movement that sought to overthrow the Turkish president? They fantasized about finding evidence of his secret work and turning him in to the police for a reward. It would mean a new beginning for them both—it would be enough for them to marry, no longer having to hide their love for each other.

When Soraya came to the courtyard to pick up the children, he lied to her shamelessly. "Lady Soraya, may Allah, the Compassionate, the Merciful, protect your family. As you know, I always make sure Scoit behaves well and is nice to the children. I am a true believer, and I won't let him get in the house either. I am a trustworthy and honest man. I will always watch out for all of you."

What a liar! I wanted to jump on him and bite him. I longed to have the gift of speech to tell Soraya about my mistreatment and how much he hated her family.

CHAPTER VII

HAPPY DAYS

My happiest moments of the day were in the afternoon when the children came to play with me after school. Their presence and love lifted my spirits after long, lonely days under the useless care of Mustafa. Ali taught me some commands. If he threw a tennis ball far away, he told me to retrieve it by shouting *git.* When I brought it back and dropped it at his feet, he would always give me a treat and patted my head saying *iyi köpek.* I wagged my tail, and nothing delighted me more than when I heard him saying what a good dog I was. Other times, Ali played with a bigger ball. He kicked it against the garden wall and trapped it with his feet or chest as it ricocheted. He always said he needed to practice a lot for he wanted to be a very good soccer player like Lionel Messi or Arda Turan. I knew nothing about soccer or who they were, but I was thrilled to play ball with Ali.

Aceyla, Ali's little sister, laughed a lot when I barked with sheer joy and happily ran after the ball or tried to block it when he dribbled past me. Sometimes she entertained herself chasing butterflies or picking flowers. I wagged my tail like a helicopter when she hugged me and gave me little kisses between my ears. The children loved me, and I adored them. I didn't want to be away from them.

Early one evening, they sneaked me into the house

while Asmiye, the housekeeper, went to the café with Mustafa. Alim had also left to hear Soraya give a piano recital, although he was overwhelmed by work.

It was wonderful to be alone with the children in the house, and what a nice house it was! Lights that made rooms bright, and lots of big chairs and comfortable rugs where I could lie down and curl up to sleep. *What a paradise!* The children took me to their bedrooms where Aceyla showed off some of her toys and Ali swept his arm proudly toward his soccer medals, trophies, and posters of famous soccer players.

Then, I padded after them to the gleaming kitchen where they opened a big white box that hummed. When I saw all that food stacked on shelf after shelf, I couldn't believe my eyes! They pulled out meat and cheese for dinner and even shared their leftovers with me! I was careful not to bite them when I ate out of their hands. How I wished I could live indoors with them!

Suddenly, Ali heard a noise and grabbed me by the collar. He told his sister to stay put. He sneaked me out the back door as Asmiye and Mustafa approached the house. I followed him quietly as he quickly led me back to the garden. Wow, what an adventure. I still dream about it.

Sadly, that was my last day inside the house. The two children still played with me after coming home from school, but my blissful happiness always ended too soon when Soraya called them to come inside. Then, Mustafa would put on me the hated leash and force me to be quiet. I wanted to jump up and attack him every time he did that, but I stayed sitting when Soraya approached me. I could always smell the fragrance of the cremes and perfumes she wore, but the fumes gave me a headache. She always patted me on the head and would say, "Scoit, be a good dog. We love you."

I knew she didn′t mean the words she said because there was no tenderness in her voice. This time, she added before leaving, "The children will not be playing with you for some time. We have to visit friends on the coast of Izmir. We all need a vacation. Alim is worried and uptight about his work. He really needs some rest. Mustafa will take good care of you."

It saddened me to hear what she was saying. I could not understand why I couldn't go with them. What had I done wrong? I had been a good dog. I loved my family dearly, especially the children. I worried about what was going on. What did she really mean by all of them needing a vacation and Alim being so uptight? Even though Soraya didn't seem to know how involved her husband was with the political resistance, she must have suspected something was wrong because her tone of voice was tight with panic and fear. I sensed that this vacation was just an excuse to escape danger. But, why not take me with them? I was also part of the family. I was tense too and dreaded this sudden separation. I had a feeling that I might not see them again for a long time. I was so frustrated. I didn't know what to do. I wanted to convey to her that Mustafa and Asmiye had been plotting their demise. But how? Once again, how I wished I could speak her tongue. I became so agitated that I began to jump and bark furiously when she left, but she just closed the garden gate behind her.

CHAPTER VIII
BETRAYAL

Shortly after the family left for their vacation, I heard someone shouting at Mustafa to open the courtyard gate. He recognized the voice and ran to open it. It was his mistress and fellow conspirator, Asmiye, a pretty woman with long black hair and stylish clothes. Her hands always smelled like soap or the food she cooked for the family, but she never used them to pet me. After Mustafa let her in, they held hands and walked to the garden shed, where he started to kiss her passionately. But she was not in any mood to reciprocate.

"Mustafa, stop it. I didn´t come here to make love. There are more important things to talk about. Don´t you want to know what I found? I risked my life getting this information for you. It is a note that I found while cleaning Alim´s office. He forgot to lock his desk and there it was. I couldn´t believe it when I read it."

There was a serious look on Mustafa's face as he asked her. "What does it say? I want to know more. Does it tie him to the rebels? Can we finally put him away? As you know very well, that wicked man is a traitor. He must pay for his betrayal. He is nothing more than a dirty dog, a cockroach that has to be crushed."

When I heard the word dog, I thought he was talking about me. I began to bark louder so I would be let out of the cage. This infuriated Mustafa. He approached the cage and began poking me with a wooden stick, trying to quiet me. But I barked even more and growled at him. He screamed and cursed at me. "Shut up, shut up, filthy dog! Soon I won't have to put up with your tantrums anymore. Now we have the final proof to get rid of your owner and you."

As he was about to rattle the cage and goad me again, Asmiye shouted at him. "Mustafa, stop! That is enough! Don't you see that you are making him furious? Let him out of the cage. He will stop barking. Come on. Don't we have to contact someone higher up right away with my information? We have to decide soon."

Mustafa smiled and responded to her condescendingly. "You silly, stupid woman. You worry too much. We have a lot of time to plan our next move. I know who to contact with your information. We now have a lot of free time. The family is gone. They left this afternoon in a hurry for a vacation. Soraya said she didn´t know when they would be back."

Asmiye was dismayed by what Mustafa was telling her and wanted to know more. "How is it possible that I wasn't told about this vacation? I just came back today from visiting some relatives in Bursa during my two days off. Something must be wrong! Soraya is a taskmaster. She would have told me or would have left detailed instructions about what to do in her absence. Did she tell you where they were going?"

"She only said they were visiting some friends in the coastal towns of Izmir to get away from the hustle and bustle of city life," Mustafa answered.

Asmiye still suspected that something was going on and kept asking. "Did she mention any specific town, friend, or family?"

Mustafa was not sure about the details of his conversation with Soraya, but he noticed she was worried and upset. "She didn't talk about any friends or family in particular but she mentioned the seaside town of Urla. She seemed worried and unsettled. When I asked her when they were coming back, she was vague. She only told me to take good care of Scoit. What bad luck! I am stuck with him. He just barks and poops all the time. I hate picking after a *dog*," almost spitting out the word. "It makes me barf when I have to pick it up. I wish I could dump him in the streets and tell them that he escaped and never came back."

As soon as I was let out of the cage, I had the urge to pee on him, but I ran to the myrtle bush to relieve myself. Then Mustafa exploded, first yelling at me, and then going off on another tirade against my family.

"Mustafa, stop complaining," Asmiye scolded him. "My situation with the Sadik family is worse than yours. I have to put up with spoiled brats every day. They are always whining when they don't get their way. Their father is a jerk and their mother a heartless woman. She is the worst of the lot. She is always watching me and is never satisfied with anything I do around here. I am sick and tired of her. She is a nasty woman who only thinks about herself. She treats her dog better than me. I am waiting for the day when I can confront her. I will scream at her, spit at her and tell her what a wretched person she is. I have feelings too, Mustafa. She is not better than me because of her wealth. Do you understand me now?"

I couldn't believe how hateful she was toward my family. How petty to attack my loving human children.

KM, Izmir soon.
Alp, tulips and liras.
Thanks be to Allah,
the Compassionate,
the Merciful.
A. S.

CHAPTER IX

A CRYPTIC NOTE

Asmiye and Mustafa were huddled a few meters away from my cage, talking about a typed note that smelled of Alim's cigarettes. Despite lowering their voices, I could hear every word they said. Asmiye said the typed note was addressed to a man with the initials KM. Mustafa paced back and forth as he read it aloud several times.

KM, Izmir soon. Alp, tulips, and liras. Thanks be to Allah, the Compassionate, the Merciful. A. S.

He then broke into a malevolent laugh and told his lover what a great discovery she had made. It was the evidence they needed to get rid of Alim.

"Asmiye, this is the smoking gun we were looking for. KM is no one else but Kahil Mehmet, one of their revolutionary leaders. Alp is a man who is delivering money at a park in Izmir, where tulips grow. AS refers to Alim. As you can see, he is a traitor and an evil man. I have to inform the authorities right away."

They laughed, hugged, and kissed again. Then, they left in a hurry by car, leaving the garden gate ajar.

CHAPTER X

WHERE IS MY FAMILY?

When I saw the garden gate open, I yipped with joy. Lucky for me, I was free to walk out of the courtyard and go looking for my family. Before venturing into the neighborhood, I ate all my dog food and drank as much water as I could hold. It might be a while before I could eat again. Once out on the quiet street, it was hard to pick up a scent with all the wonderful smells of dinner wafting out their windows. I first went to the house of Fatima, one of Soraya's friends, whose dog, Luna, I knew. I barked furiously and scratched at her door, but it never opened. Had Luna's family left town too? It was getting dark, and I decided to look for my family in the city, following my nose as a guide in the gentle breeze of the evening.

I kept to the sidewalks, knowing enough not to go in front of the speeding vehicles. I couldn't read the walk and stop signals, so I just walked when the humans did. As I got closer to Istanbul, I remembered spending several days there in a pet shop when I was a puppy. I smelled many odors, but I could hardly pick up my family's scent. It became weaker and weaker as it blended with so many others. It was frustrating, but I couldn't give up. I was thirsty and tired after searching for them for a long time. It was getting really late, and I needed to find a safe place to lie down to sleep for the night. I finally found a small park before it was too dark. I curled up under a bench for the night, the long, fragrant grass making a soft bed.

I got up early the next morning, my stomach grumbling, and continued searching for them everywhere. After walking for many hours, I finally stopped at another small park at sundown. Lucky for me, people had left behind their leftover chicken dinner in an open garbage can! I grabbed some chicken bones to gnaw under some bushes when I heard a distressed couple talking in hushed voices.

"Demir, we can't continue seeing each other. My father is a self-righteous person who is very protective of his family name. He traces his ancestry back to the Ottoman Empire. He watches our friends like a hawk. He doesn´t agree with your political ideas and will disinherit me if he discovers that I am seeing you. He has warned my sister Asha and me not to dishonor the family name ever or get involved politically with the opposition. There will be grave consequences if this happens. We will be forsaken and disgraced to live a wretched life. Demir, do you understand me now? I am sorry but it is better that we stop seeing each other."

Demir said he could not believe what he was hearing. He pleaded with her not to leave him.

"Jasmine, no, no. Please, don't say that. I may not have your father´s ancestry and wealth, but I am an honest and proud man too. Your father and I might disagree politically, but you know me better. Family is very important for me. It is above any politics. I, like my boss and friend Alim, just believe in justice and equality for everyone. Jasmine, don't leave me. You are my love, my life, my everything."

I felt sorry for them. They sounded so heartbroken. I

wanted to tell them to stay together because to love and be loved makes you whole. Love is the most important thing in life. But she got up slowly and tearfully left without looking back. What a sad ending!

CHAPTER XI
SURVIVAL

I left the bushes and walked to a nearby fountain to quench my thirst. I could smell other dogs approaching as I was lapping some water. Then, I saw two males and three females in the pack. The alpha male who I called Big Dog kept peeing on trees and benches as he approached me. I did not move and held my own as we went nose to nose measuring each other. Then, he circled me, sniffed my butt, and walked away. I followed him but was confronted by the alpha female. She growled and curled her lips, baring her teeth. She was small enough for me to take her on, but Big Dog, sensing a problem, bumped her and a fight was avoided.

For the first time, I felt self-conscious about my good looks. Humans loved my smile, but the street dogs knew the reputation of golden retrievers—we're mostly docile and reluctant street fighters. Maybe that's why I was immediately accepted as a new member of the pack—Big Dog knew I wasn't a threat. I now had to follow its social order and way of life.

As dusk fell, Big Dog led the pack out of the park, and we spent hours looking for food to eat and a place to lie down. After searching a near-empty trash can for food without much success, we finally found a quiet place away from people in an abandoned warehouse. I curled up to sleep on a small piece of dirty cardboard. I felt miserable, hunger pangs and thoughts of my family keeping me awake nearly the whole night.

When we got up at sunrise, I was famished. I had not eaten anything for several days. I followed the pack as it started to walk back to the city. We moved from place to place smelling the aroma of food in the air, my stomach cramping from hunger.

It was high noon when we stopped at a park where the delicious smell of food wafted from one of the large plastic bins. As we got closer, I wondered how we were going to open it. But Big Dog knew. He bumped and overturned the bin with his powerful body. Its lid flew off when it hit the ground, spilling several plastic bags with pieces of meat, pizza, nuts, cheese, and chicken bones. My mouth was watering. I wanted to run away with one of the spilled bags, but I knew better. I had to follow the law of the pack and wait my turn. The first ones to eat were Big Dog and the alpha female. Then, we all took turns with what was left.

When my turn came, I grabbed one of the bags and ran with it. Once out of reach of the other dogs, I ripped it open with my claws and sharp teeth. A few pieces of meat and some chicken bones fell out. They smelled so good. It was heaven as I began to eat the meat and crushed the bones with my powerful teeth.

Suddenly two men in uniforms came running out of nowhere toward us. They carried meshes and long sticks with a loop of rope at the end and screamed at us.

"Stop, stop making a mess! You wretched animals. Stop, stop! Get away. Just wait until we catch you. You are going straight to the pound to rot."

We ran as fast as we could to get away from these mean men, dodging traffic as we crossed the street. We didn't stop until we reached an isolated wooded area north of the city, a safer and quieter place. The smell of dogs and cats was thick in the air. I smelled other smells too—gamey, wild smells that I didn't recognize. But for now, we were alone. I found a place near some big rocks to curl up while other dogs went to lap some water from a nearby pond.

We stayed until dusk when the pack started to move back to the city. I really liked being with Big Dog and being part of the pack, but my heart ached for my family. Maybe, just maybe, they had returned home from their vacation. Thoughts of seeing Ali and Aceyla again motivated me to go it alone, even if it meant enduring the cruelty of Mustafa. I watched Big Dog and the others lope away.

CHAPTER XII

HOME AGAIN

A gentle, cool breeze was blowing when I left the pack. I began to recognize the smells from long ago when I rode in the back of the truck when just a pup. Finally on the right path, I knew I needed to gain as much ground as I could before it got totally dark. I stopped at another lush green forest along the coastline, where I thought I could find something to eat, but there was nothing. I quenched my thirst at a small brook and laid down under a few bushes and curled up for the rest of the night.

When the sun woke me up at dawn, my stomach was again twisting with hunger and my throat was parched. Moving toward the brook, I could smell and hear an animal drinking, oblivious to my approach. A rabbit! My mouth watered, for here was food within my grasp. I crouched to the ground, moving slowly and quietly toward him. I clutched his throat, making the killing swift. I felt much better after devouring nearly the entire animal.

Feeling energized, I left the forest and kept running along the shoreline, going through several beautiful coastal villages, teeming with people and cars. For a moment, I thought about stopping and looking around for a while in one of the villages, but I decided I couldn´t lose precious time. I quickened my pace again as I got closer to home. I was so happy for soon I would be reunited with my family.

CAFÉ

CHAPTER XIII
CAFÉ PARADISE

With my yard now in sight, I could hear several people inside the house speaking loudly, but the scent of my family was still rather weak. Instead, there was a strong smell of liquor, tobacco, and drugs. As I ran to the house, I started barking. Once there, I scratched at the entrance door, hoping my family would come out. What a surprise when the door was opened. It was Mustafa who appeared and began to shout. "Look who is here. The mangy dog Scoit came back. Let's catch him. Come on. We have to get rid of him too."

Hearing the anger and hatred in his voice, I knew I was in danger and had to get away quickly. I ran as fast as I could, zigzagging and hiding as they chased me in their car. I was tired and fearful when I finally stopped at a small café in the outskirts of the city. There was nobody here except an older lady, the owner, who came to my rescue.

She approached me and gently asked, "Why are you out of breath and shaking so much? Why are you so scared? Someone wants to hurt you? Why? Come, come with me."

She took me to the back room of the café and fetched some water in a plastic bowl for me to drink. Suddenly, some men speaking loudly appeared at the café. My heart sank when I recognized their voices—Mustafa and his henchmen. He demanded to talk to the owner and asked if anyone had seen a medium-size cream-colored dog around. I trembled, fearing that he would find me and take me back. She calmed me down and told me to be quiet and she went out to talk to him.

"My name is Camille Moreau. I am the owner of Café Paradise. Who are you?"

"I am Mustafa Kaya. I am looking for a dog named Scoit. Have you seen him?"

"I feed scraps to a few dogs that come around here at night, but I haven't seen the one you are looking for. Is he your dog?" she asked.

Mustafa's answer was misleading, a string of lies.

"No. He is not mine. He belongs to the Sadik family. I work for them as a gardener. He is a nice dog. I have enjoyed taking care of him since he was a puppy. He escaped last night, and his family is very worried about him. They are afraid that he might have been stolen or gotten hurt in the city. I need to find him or lose my job. I was told that he might be in this area. Are you sure you haven´t seen him?"

She looked at him up and down and answered with great aplomb. "Sir, I have not seen him. I am telling you he has not been around here."

Raising a skeptical brow, Mustafa asked for her contact information and offered her his own business card.

"Be sure to call me right away if he shows up. There is a reward for whoever finds him."

Camille took the card and thanked him. "Don't worry. If your dog comes around again, I will call you for sure."

After Mustafa left with his thugs, Camille came back, patted my head and checked my collar. "I see that your name is Scoit. You are not a bad dog. That man was rude and a liar. I felt he had an ulterior motive in looking for you."

Camille was such a nice lady. I wagged my tail and licked her soft hands that smelled like spices. A few days later, I heard her calling Mustafa.

"Who is calling? Who I am speaking to?" she was asked.

"I am Camille Moreau, the owner of Café Paradise. May I speak to Mr. Mustafa Kaya? He told me to call him if I saw the dog he was looking for."

"Yes ma'am. Please, wait a moment. I will get him. He will talk to you shortly."

She waited for a while and then asked if she was speaking to Mustafa.

"Is this Mustafa speaking?"

"Yes, you are speaking with Mustafa. What do you want?"

"I have good news for you. The dog you were looking for came to my place last night. Are you still interested in getting him back?"

"Yes, yes. Are you sure he is our dog?"

"Yes, I am sure he is the one. He has all the characteristics you described to me and the name on his collar is Scoit. I gave him a few scraps and he stayed around all night."

"Yes, that is him. His name is Scoit. Can I come to get him now?"

"No. Don't bother to come. He is not here anymore. He was just picked up by a distinguished older gentleman in a red pickup truck."

"Do you know his name?" asked Mustafa.

"Yes. He said his name was Walid Saad. The dog seemed to recognize him. Is he your friend?"

"No. I don't know anyone with that name. But if he comes back with Scoit, call me right away."

"Of course, I will. Don´t hang up, please. One last thing. Do I get any kind of reward for my information?"

"Of course, not! What a stupid question."

After Mustafa hung up on her, Camille started laughing. She was so happy to have fooled the ogre Mustafa.

"Scoit, don't worry. That scoundrel won't bother you anymore. He swallowed the whole story. He now thinks you are gone for good with that gentleman I made up. I will take care of you until your owner shows up."

I was torn between leaving to find my family or staying with her. After a few more days of her kindness and delicious leftovers she scraped from her customers' plates, my heart yearned for my family. My journey began again.

CHAPTER XIV
KISIRKAYA CLINIC

I returned to the park where I first met Big Dog and his pack. As I was about to lay down to rest, I heard a familiar bark. It was indeed Big Dog and his pack! I ran to them as we marked the ground, wagged our tails, and sniffed many butts. I was so happy to see them again. Even the alpha female welcomed me back.

As we started looking around for food, three men approached us. They seemed friendly. One gave us some treats while the other two injected us as we were eating them. As soon as I was pricked by the needle, I felt groggy and couldn't move. I only remember being put in a van with Big Dog and the rest of the pack.

When I woke up, I found myself in a small wire cage in a place with metal walls and a high ceiling that served as an echo chamber of pitiful and useless whimpers, pants, and yowls. I smelled bleach, dog food, and the pungent scent of dogs and cats in distress.

My pack was as scared as I was, for we didn't know what was happening. Yet we soon realized we were safe. Several of the volunteers at this clinic were nice, making sure my cage was clean and that I had plenty of food and water.

Dr. Ibrahim and his assistant Asli patted me frequently to make me feel better and get used to the place. She also took me to the yard several times to relieve myself or play with the other dogs and my friend Big Dog. A few days after my arrival, Dr. Ibrahim came into the kennel rather upset. He called Asli aside and whispered his concern to her.

"You have to remove Scoit's name tag right away. They are like bloodhounds on our trail. If they find he is here, it can compromise us and jeopardize the cause. Scoit belongs to the prominent banker Alim Sadik. He has been a key ally of the resistance, but he might be gone. The man found yesterday floating face down in the Bosphorus near the Galata Bridge could be him. We cannot take any risks. Change his name tag right away and call him by any name you want."

When I heard Alim´s name mentioned my heart leaped with happiness. I skittered around my kennel, barking and wagging my tail. Alim was coming to rescue me and take me home! But days went by and he didn´t show up. I was devastated and worried myself sick thinking about my family's whereabouts. Where were Alim and the rest of the family? What happened to them? Did Mustafa and his lover Asmiye hurt them? I hoped not.

I stayed at the clinic for several months. Finally, on a drizzly morning, Asli put me on a leash and took me to the van.

"I will miss you," she said, nuzzling her head against me.

Her cheeks were wet as she loaded me into a kennel in the van. I tried to dry her salty tears off with my tongue, making her laugh. Next to me, there were three other golden retrievers. But where was Big Dog? We had left Big Dog! I barked to Asli that she must get my friend. But Asli was no longer laughing; she walked away with a determined stride, not once looking back. I think this was a hard job for her.

The van drove an hour to a shelter that was shaded by trees with the fishy smell of a nearby lake. Each morning, a man would play a game of sit and stay and come. I loved it when he said, "That's a good boy!" and gave me a piece of dog food. It was weird. It was the same dog food I ate out of the bowl, but it just tasted better when I ate it out of his hand.

We stayed at the country shelter for a few weeks. The kennel wasn't as noisy as the first one, and I could see through one of the walls instead of a metal cage. Every afternoon, we were let out in a big yard of dirt and a few scraps of grass where we sniffed butts and played I Can Run Faster Than You. Then, one cool fall morning we were put in cages, loaded up into the big van again, and driven away.

CHAPTER XV
UNITED STATES

The Atatürk Airport cargo hall in Istanbul was a noisy and busy place. I heard the roar of air machines and saw humans walk by, holding tiny dogs in tiny crates.

A sweet lady wearing a T-shirt with a golden retriever on it walked up to us and spoke softly, explaining that we needed to get into different crates. She offered me a dog biscuit to leave my crate and get into another, which had a cozy pillow but smelled of a sweaty, nervous dog. I, too, was nervous and very anxious with all the commotion going on.

Yet I felt like the T-shirt lady would keep me safe. I learned later that she worked for Adopt a Golden Atlanta, a nonprofit based in Georgia in the United States, which has rescued hundreds of golden retrievers from the streets of Istanbul for many years. They felt sorry for us golden retrievers because our sweet temperament makes us pathetic fighters on the street—if we even decide to fight back at all. She spearheaded this flight with the help of other wonderful volunteers. She kept comforting us, saying "shhh," to get us to stop whining and barking.

"Calm down! Calm down! Soon you will be on your way to the United States. I will be there when you arrive. Your forever family will be there too, eagerly waiting for your arrival. They will welcome you with open arms and hearts into their homes. Just as soon as I get your paperwork in order, you will be out of here."

As she was getting ready to load us onto the cargo plane, we heard a lot of shouting at the entrance gate to the hangar. A man kept screaming. "Stop, stop the flight! There is a dog here that belongs to my family."

Mustafa and his thugs moved toward a security guard and demanded to talk to the person in charge of this operation. After checking his credentials, the guard pointed to the lady helping us.

"Sir, you can go now. She is the lady with the large blue notepad. She is checking the names of the dogs in the flight to the United States."

Mustafa walked toward her and talked to her in an abrupt and abrasive manner.

"I have to talk to you right now. I am looking for a dog that is here."

Buying time, she excused herself to take a phone call. Apparently, the person on the other line overheard Mustafa badgering her.

"Yes. Don't worry. Everything is okay. Thank you."

Then, she turned and spoke to Mustafa. "It was my father calling. He just wanted to know how things were going. How can I help you?"

"I am Mustafa. I work for the family of the well-known banker Alim Sadik as a gardener. I came to pick up his dog. He must be on your list. In fact," he said, rudely jabbing her shoulder, "he looks just like the dog on your shirt."

"What is your dog´s name?" she asked.

"Scoit, Scoit," answered Mustafa, hoping he had finally found me.

She told him to be patient. She had to compare the names of the dogs in her list with the ones sent by the shelters.

"Sorry. He is not on the lists I received from the shelters where they were vetted and trained for adoption."

Mustafa could not believe what he was hearing and raised his voice.

"It is not true. I am repeating to you what I was told at the Kisirkaya Clinic. Scoit is on this flight. Check your list again. The family feels miserable, especially the children. They really miss him. It will be a great comfort to them if I could take him back with me."

"There is a dog with two names that was added to the group at the last minute. I don't think he is the dog you are looking for," she said firmly.

Mustafa would not take no for an answer and continued badgering her.

"Scoit has to be in this flight. He has to be here."

She was annoyed by Mustafa's rude behavior but kept her composure and calmly explained to him the procedure she had to follow for putting these dogs on the flight to the United States.

"I am sorry. There must be a mistake. We don't get the dogs directly from the Kisirkaya Clinic. They are placed in rescue shelters around the countryside. Each one is vetted and approved for adoption before they are sent to us for the rescue flight to the United States. You have to go back and find out in which country shelter he might have been placed. I assure you that he is not in this group, but you are welcome to look around."

Mustafa was not quite convinced with her explanation.

"Okay. I want to see the dog with the two names right now. Where is he?"

She led him to the last cage lined up for the flight.

"Of course. Come this way. He is at the far end of the assembled crates ready to go. His names are Cemil and Zeka. Here he is. Is this the dog you are looking for?"

"Of course not. Scoit is much bigger and has a different color," Mustafa said.

"I don't know where he might be," she said, her voice now rising in pitch, "but he is definitely not here. You have to look for him in another place. I hope you find him soon and take him back to his distressed family."

With her firm refusal, Mustafa's face turned beet red and the veins on his neck pulsed with anger.

"What are they thinking? I am not a fool," he thought. "I know he is here. They are protecting him. They are lying to me again, but I will find him sooner or later."

After he left, the nice lady approached my crate more

relaxed. "Wow! It was a close one, Scoit. I am glad that Asli alerted me. Thank God he is gone. He is a liar and a vindictive man, but he will never find you now. You will be out of here soon."

I finally felt safe when we were loaded onto the plane, and the door closed behind us. Shortly afterward, I felt a big energy that pushed me toward the back of the cage and a roar, much bigger than any animal I'd ever heard. Then it became quiet, and I relaxed in the dark warm cargo area of the airplane. Several dogs barked, whimpered, and whined, but as the air cooled down, even they became quiet.

I began to think about all that had happened to me since I was taken away from my dear mom and siblings in Şirince and was bought later on by the Sadik family. I loved them very much, especially their sweet children. I thought that I had settled down with them as my forever family, but suddenly my life changed and became a nightmare. I had to hide from the thug Mustafa and survive as a stray on the streets of Istanbul until I was picked up and taken to the Kisirkaya Clinic. I was overcome with grief when I heard the rumor of Alim´s death and the long, long days when my family never came to rescue me.

Now I was being taken to a country far away from where I was born. I hoped to find a family to love and who would also love me. It was a long and stressful flight with a stopover in a place called Luxembourg. Here we were taken out of the plane and driven to a fenced-in yard where we were fed, watered, and walked on a leash. After a while, we were put back in our individual crates and hauled back to the plane for our final destination. I dozed and lost track of the time until we landed in the United States at the Atlanta airport.

My crate was hoisted out of the plane and loaded with the others into a van that took us to a large building. Finally, someone rolled my crate into a large room with comfy couches and chairs that reminded me of the Sadik's house. There were people of all sizes standing around and they clapped exuberantly as we were all wheeled into the terminal where they had been waiting for nearly an hour. So many had wet cheeks just like Asli, and I wanted to lick all of them, but no one let me out of my crate.

I recognized the T-shirt lady who had saved me from Mustafa at the airport in Istanbul. There were other people around her too, who worked for Adopt a Golden Atlanta. I later learned I was among hundreds of golden retrievers they'd brought to Atlanta for adoption. As I looked around at all the friendly, smiling people, I thought about how my life hadn't been lucky so far, but maybe, just maybe, my luck was changing.

CHAPTER XVI

ANXIETY

Well, my luck hadn't changed yet. My whole body drooped. I realized that the last family had left and no one was there waiting for me. I wasn't the only one. I heard three other golden retrievers whimper with sadness. My T-shirt lady and two other volunteers took us out into the warm, humid air and loaded us once again into a van. This time, I was taken to a shelter where dogs waited for transportation to other cities for adoption. Luckily my new home was a roomy crate that was stocked with a ball to knock around and a delicious something to chew on. I wouldn't call it a dog bone, but it was hard and helped relieve my anxiety.

After a day or two, yes, another crate and still another van, this time a ride to Grand Rapids, Michigan. This was the longest ride of my life, but I tried not to whine and chewed on my strange not-bone.

The dedicated volunteers of the Great Lakes Golden Retriever Rescue were working very hard to find suitable families for dogs like me. It turned out that my new foster family lived in the quaint little town of Charlevoix, Michigan. It seemed that every time someone mentioned I was going to "Charlevoix," people hugged themselves, shivered, and said, "Oooh, it's so cold and snowy there."

My new foster parents were nice, but they already had

two goldens of their own and had their hands full! After a few months of living with them, they took me to the nearby town of Petoskey to meet a prospective family who had applied for a golden retriever.

I remember first meeting my two new humans on a beautiful September afternoon. When my humans released me from the crate, I saw something strange. Red and yellow and green leaves on the trees, some that fell to the ground when the wind blew. I chased a few, making my foster family and the new humans laugh.

They seemed friendly, but I was still apprehensive. For so long, I'd felt unwanted. Most of the other goldens that traveled with me from Turkey had already been adopted and here I was still bouncing from place to place. When I was staying with my foster family, I caught my reflection in a mirror and realized that maybe I was just too skinny and scruffy for anyone to want me.

So, I was hoping for everything to go well at this meeting, but it did not. It was a total fiasco. I was so nervous that I did the unforgivable. When they first let me into their house, I immediately went to a soft, handwoven rug and peed and pooped. Only they didn't call it a rug. They called it a "prized family heirloom." This was so bad that they exchanged very loud words, and I doubted they would consider keeping me at all.

My foster family pleaded my case. "Scoit has a lot of potential. He has just gone through a lot. He will be okay. He just needs time to adjust to his new surroundings. He is bright and has learned a lot in the short time he has been with us."

There was a long silence. I understood everybody's

concern after seeing my atrocious behavior. How could they trust me after what I did? How could they trust a stray that ran with a pack and had no manners? I wanted to tell them that in spite of what I have gone through and done, I could be a loyal and reliable dog. I just wanted another chance to prove that I was loving and trustworthy. I was a wreck waiting for their decision.

CHAPTER XVII

DECISION AND ANOTHER NAME

I longed to stay with these two humans. I felt they were a loving and caring family by the way they talked and patted my head. The couple's grown-up daughter, who owned three dogs and lived next door on their pretty country road, got down on the floor and hugged my neck.

"Dad, he is the right dog for you and mom. He will be fine. He is smart. He just needs a little bit of training and love."

I returned the favor by laying my head in her lap.

Her brother, as a good lawyer, pleaded my case too. "He seems to be a laid-back type of dog. He will fit in with your lifestyle. He won't be any problem at all."

Then, the mother chimed in with a soft voice: "Honey, he reminds me of our last dog, Comet. He is meek and sweet. He is just insecure. Let's adopt him."

I was happy hearing all the nice things they were saying about me, but I waited anxiously for the family alpha to decide. There was a long pause, and he finally spoke.

"Scoit has behaved badly today with his toilet manners, but it is something that can be easily corrected. He is just scared. He is a noble dog that shows the characteristics of his breed: curiosity, intelligence, affection, and loyalty. However, I think that for now it is better just to foster him for a while and see if he lives up to his potential."

I was elated but concerned. I thought for a moment about his decision. With so many ups and downs in my life, I couldn´t let this get me down. I had to rise above this decision and make the best of it. I wagged my tail and ran in circles expressing my happiness. But at the last minute, I decided not to lick the alpha's face, knowing that some humans seemed a little put out by my wet tongue. I was indeed grateful for his magnanimous decision not to reject me outright.

Though he called himself Gabriel, I would call him Sidi, my lord, for not giving up on me. Provided with this second chance in life, I knew I couldn´t mess it up. I had to prove that I was worthy of his trust. After my former foster family left, my new family talked about a name for me. They mentioned names like Habib, Aslan, Cody, Chance, and Wanderer. They finally decided on Chance.

CHAPTER XVIII

THE ALBA FAMILY

Gabriel and Joy Alba, my new family, lived in a ranch home beside their daughter and near their son. From the very first moment that I met them, I felt at ease with them. They were a kind, retired couple. Gabriel was a thoughtful and dignified retired university professor still active in academia and in the community. Joy, a retired high school teacher, was a sensitive, compassionate, and loving person, ready to help anyone down on their luck for whatever reason.

My new humans petted me and praised me when I did things right, like come when they called. I loved my new house too, with its large, wooded backyard, where I could chase after squirrels and rabbits. Also, unlike Turkey, I lived indoors with them and slept at night in their bedroom or by the front door protecting them. I was so happy that Great Lakes Golden Retriever Rescue approved them to foster me. I was indeed very lucky to have them as my new family.

CHAPTER XIX

LEARNING AND CONCERN

My training started right away. Sidi enrolled me in a dog training class at a nearby small town. I was apprehensive because riding loose in a car made me nervous. I had spent most of my life confined in a walled courtyard or roaming around the city as a stray. The few times I rode in a car in Turkey, I was transported in a cage or a crate, and, boy, were those bad memories. I was also worried about the obedience class. What would happen if I didn't know how to obey?

We arrived on time for the class which was held in a gym at an elementary school. I smelled my favorite scents in the world—sweaty little kids! I was delighted to see so many people there with their dogs. Class began with each owner walking his or her dog in a circle. The instructor wanted to observe our behavior and how each owner handled their dog. Then came a socializing period with all of us off our leashes. We all went around greeting each other by smelling each other's butts. Some of the smaller dogs rolled on their backs, waving with their paws in the air, hoping that the big dogs would leave them alone.

Most of us behaved well except a large dog that had to be restrained and set aside because he growled and bared his teeth. A young cocker spaniel scurried under his owner's chair and wanted to stay there. Then, the instructor asked each owner to pick a partner to work with. I was paired with the sweet but shy female cocker spaniel, who had to be tempted with a treat to return to class.

The rest of the hour was spent teaching us basic commands. I was confused because these were different words than I learned in Turkey. At the beginning, I had no clue what to do. I kept bumping on Sidi's legs, for I was never taught how to walk properly alongside a person. However, I listened to his command and learned to walk on his left side, looking at him when he stopped, seeking direction.

The instructor was very strict—a no-nonsense veteran who had trained dogs in the army for many years. She told every owner not to slack off on the training. The success of each dog depended on continuing the training regularly at home.

As we were about to leave, I overheard the instructor telling the owner of the aggressive dog to come early to class in order to work one-on-one on his behavior. She also told him not to forget to bring the bitter apple spray. I love to eat apples, but I hate the bitter spray. I have never been sprayed with it, but I know it smells awful and makes you gag.

Over the next eight weeks, we met once a week. I enjoyed all the classes, but especially the one held during a full moon. The instructor asked the owners to sit their dogs off leash and walk away. Several of the dogs, including me and the cocker spaniel, didn't obey and began running around howling. As more dogs joined the chorus, the instructor dismissed the class. She told everybody that she had never seen such pandemonium in all her years training dogs. She thought that the full moon had awakened the wolves in us. She was right. I had howled at the moon many times before while running with Big Dog and his pack.

CHAPTER XX

TOUGH LOVE

Sidi was as strict as the veteran army instructor. He followed her training recommendations rigorously. He spoke to me mostly in English but when I messed up the instructions, he switched to Spanish. I didn't know Turkish or, for that matter, English or Spanish. So I concentrated on the sound of words, his tone of voice, his gestures, and his touch.

The sit and stay commands were difficult. He would sit me on his left side. At his command to heel, I would get up and walk beside him at an even pace. When he stopped, I had to stop at his side. If I did it well, he would say "good dog" and reward me with a soft pat on the head and a treat. We would repeat the exercise over and over until I did it right. He scolded me when I pulled, walked too fast, or got distracted. It was tough because my natural instinct was to follow him, but I had to obey and wait for his command to join him. It was even harder when the staying time increased. But I kept telling myself to be patient. I cherished his approval when I succeeded. "Wow Chance! Well done! You are a champion!"

Then came the electric fence training. At the beginning, I wondered what it was, but I found out quickly. He took me to the yard and put a special electric collar on me. As we approached the fence, he kept repeating, "Careful, careful. It will hurt."

Every time we moved closer to the fence, I could feel the electric power surge, and I backed off. I learned that the word "careful" actually meant, "Danger! You're about to get zapped!" But one day an urgent desire got the best of me. I chased a deer across the hidden fence and paid the price for it. A jolt shook my entire body. Still, I just couldn't stop myself and continued the chase to the yard next door, where I heard a familiar voice calling me.

"Chance, Chance, come. Come here! What are you doing out of the yard?"

I recognized the voice of my family's daughter. She was upset. As I approached her wagging my tail, she scolded me.

"Chance, you are a naughty dog. What are you doing here? You are supposed to stay in your yard. Dad is going to punish you for being disobedient."

She leashed me and called him on her cell phone.

"Dad, I have Chance with me. He got out of the yard. Please come and get him."

"Okay, I will be there right away."

When he arrived to pick me up, he let me have it. He grabbed me by the scruff, looked intensely into my eyes, and said, "Chance, you are a bad dog. I must trust you. Don´t blow it! I hope it doesn´t happen again."

I felt miserable. I couldn´t hold his piercing gaze because I felt his disappointment. What a fool! I messed up again. I apologized by lowering my head, avoiding eye contact. Then I decided more was needed. I rolled on my back and showed my belly and made eye contact with my best puppy dog eyes. I learned from this incident not to follow my natural instincts and use better judgment next time. I needed to regain his trust in me again. Before crossing the hidden fence going back home, he took off the electric collar and repeated, "Chance, I forgive you. But don´t do it again. I *must* be able to trust you."

It felt good hearing his forgiving words, but I knew from his tone that I couldn't mess up again. Sidi left me in the yard where I enjoyed the myriad of scents in the air. But once again, temptation came across in the light breeze of the afternoon as I smelled the scent of a doe beyond the fence. I wanted to chase her, but I knew better. I had learned a painful lesson and didn't want to disappoint Sidi again. My new family meant the world to me.

I was grateful for their love and caring and so worried about making another stupid mistake that I stopped barking. As in, I *never* barked. I didn't know how they might react if I did. I remembered how Mustafa punished me, yelling and even poking me with a pole, whenever I made a sound. I knew Sidi would never do that, but, then again, he might pass me on to yet another home.

CHAPTER XXI

A VISIT TO THE VETERINARIAN

My silence caused my family concern. They thought something was wrong with me. Sidi told Joy he was worried.

"I haven't heard Chance bark since he has been with us. Have you?"

"No. I have not. He just whimpers and makes a weird low sound," she answered.

Sidi was angry because he thought my former owner might have cut my vocal cords.

"It is a despicable thing to do to a defenseless animal, but some heartless people do it for their convenience. They are selfish people who, for whatever reason, don't want to hear a dog barking. I am taking Chance to the vet on Wednesday, and we will find out what the problem is."

Sidi took me to a vet on the outskirts of town. We took a seat in a well-lit waiting room with big windows and towering plants. I watched as the vet, a 30-something with the same hair color as me, walked into the room with her Weimaraner by her side. "Take!" she commanded and pointed to a woman with graying hair, who sat with a meowing cat in a crate. The sleek dog trotted over and dropped a bag of treats before her and returned to the vet's side.

"Oh my!" said the woman. "I've never seen anything like that."

The vet took us into a small room, which brought back memories of the first vet and his gloved hand. Oh no, not that again! Sidi told the vet I was a stray dog who was found on the streets in Turkey. He mentioned how I never barked. "Do you think that Chance's vocal cords might have been severed?"

The vet took a light from her pocket and examined my throat. She quickly pronounced nothing was wrong with my vocal cords.

"They are fine," she assured him. "Chance is a gentle, sweetheart of a dog. He just needs to gain some confidence and weight. He is too skinny and also needs a good grooming. But don't worry about his lack of barking. He is probably adjusting to his new surroundings. Give him some time. Some dogs are not barkers."

What she and my family didn't know was how Mustafa cruelly punished me for barking. The vet got started with a complete physical checkup—and, relief, no glove!

"By the way," she said, looking from me to Sidi. "He still has the microchip from Turkey. It gives his old name and his former owner's name. If it is okay with you, we don't have to remove it. I will put another one in him with his new name and you as his owner."

Then, she mentioned I had a dental problem.

"You'll need to take care of his broken canine tooth. The nerve is exposed. It must hurt him a lot, but he cannot tell you. It could be why he whimpers and whines. He needs to have the tooth extracted or a root canal done. I have heard that many of the dogs rescued from Turkey have broken teeth by eating whatever scraps they could find or fighting with other dogs for survival. If you decide to extract his tooth, he has to stay overnight, or you can bring him back tomorrow. A root canal is rather expensive, and we don´t do it here. You will have to take him to another vet."

They agreed that she would pull the tooth. I am a little bit fuzzy about what happened next. I just remember that the vet gave me something to inhale and suddenly I felt groggy like when I was injected at the park and driven to the Kisirkaya Clinic. I felt okay when I woke up—no pain, just a gaping hole on the left side of my mouth, which was fun to explore with my tongue. I was overjoyed when my family came to pick me up. The vet gave Sidi my huge tooth as a souvenir and instructions on how to take care of me.

CHAPTER XXII

OBI-WAN, TAI CHI, AND SOCCER

Since the vet told Sidi that there wasn't anything wrong with my vocal cords—that it was a matter of time before I started barking—he encouraged me to do it. I was happy to comply. It felt liberating to bark again without fear of being punished. I could now bark freely at turkeys, squirrels, rabbits, and deer. Sometimes I got yelled at when I went under the deck barking at the rabbits and came out looking like what Sidi called a "*bola de churre*" or a ball of grime.

I was also allowed to bark to alert and protect my family or to communicate with my dear friend Obi-Wan, who lived next door with Sidi's daughter. He grew up with me after being brought here from Port Huron, Michigan. We greeted and exchanged friendly barks daily. He was young, strong, and lively but respected me as an elder. We both knew I was boss. We would have liked to play more frequently, but the potential pain of the invisible electric fence stopped us. We both knew it would be painful to cross it.

I liked to be outdoors, smelling all the different scents and having fun. But more than anything else, I cherished being with my family, but especially with Sidi whom I followed everywhere. He thought that Shadow would have been an appropriate name for me too.

Always active, he kept me on the go. I used to watch him

practice Tai Chi every morning, in all kinds of weather—but not rain. I liked to lay down to watch as he warmed up and then made a series of slow, flowing, and graceful physical movements called Qi Gong. He told me that the movements calmed him and helped with his meditation and well-being. Other times, I followed him walking back and forth doing an exercise he called "a dragon walk" which fosters good balance.

But I liked it most when I played soccer with him and his granddaughter. It brought back happy memories of Ali when I played with him in Turkey. I still missed him and his little sister, Aceyla, a lot. Soccer is Sidi's favorite sport. He played soccer and coached in his younger years and now taught his granddaughter the fundamentals of the game. He was as strict with her as he was with me in the obedience classes. He wanted her to learn how to trap, dribble, pass, and kick the ball with either foot. I always had a lot of fun barking and chasing the soccer ball as they passed it to each other or shot it on goal.

CHAPTER XXIII

MY FIRST FOURTH OF JULY

My first Fourth of July weekend in the United States was an interesting and special one. There was a lot of excitement at home as my family got ready to celebrate this unique American festivity. They took me downtown in the morning to watch a parade. They were concerned that I'd be frightened by the large crowd brushing against me, the blaring music, and the loud noise of the firetrucks' sirens. But it didn't faze me. I had become used to all kinds of noise while living as a stray in the large metropolitan city of Istanbul.

I was excited to see many people, especially the children, my favorite age of humans, and my friend Obi-Wan. He began to bark when he picked up the scent of his mistress's daughter in the parade. I proudly watched as she and her friends on the gymnastics team performed graceful flips and cartwheels as they went down the street. They threw us goodies as they passed by. I was always craving for food and lurched against my leash to eat one, but Sidi held the leash tight and scolded me.

"Chance, no! Your stomach is a bottomless pit. You would eat everything in sight if given the chance. Candy is not good for you, especially chocolate. It will make you sick. You will get a bellyache and barf all over."

If he only knew how many days I spent without eating

while living as a stray, he would understand my ravenous appetite. Happiness was finding *any* scrap of food to eat, no matter what it was. I whimpered, but I obeyed. Everybody was having a ball. They clapped and saluted the flags as the parade went by. Even Sidi danced to the beat of the steel band as it started to play. He loved to play the conga drum and even tried to teach me the salsa beat, but I have no sense of rhythm and felt silly.

After the parade, Sidi took me to a small park to hear patriotic songs and stories told by veterans who were being honored for their service to the nation. What a sacrifice for our freedom! Their testimonies were very moving. I was also interested to hear about a war dog being honored for his bravery. His handler and owner told how Hickory, a German shepherd, had saved his and other soldiers' lives by guiding them away from a mine that exploded and blew up one of his hind legs. I felt an immediate kinship with him. We exchanged glances and I barked, letting him know how much I admired his loyalty and bravery.

After the ceremony, we walked across the street to see the statue of a bearded man named Ernest Hemingway, who I later found out won the Nobel Prize in Literature in 1954. According to Sidi, he is a great author who has many ties to Northern Michigan, but especially to Petoskey where he spent many summers. Several of his novels show his love and appreciation for the Hispanic culture. Sidi said he liked best *The Old Man and the Sea* which he read in high school. The story takes place in Cuba and one of its themes is man's struggle in life. I could identify with that for I had struggled for years to survive.

After walking for a while, we stopped at a stand to buy

some food to eat. I thought it was strange when I heard Sidi ordering hot dogs. How crazy it was ordering hot dogs! Alarmed, I wondered if Sidi would ever eat *me*.

Well, it turned out to be a type of sausage wrapped in bread. Sidi gave me one, and despite its name, I ate this hot dog in two bites, and it was delicious. I didn't mind eating two more.

At night, we went to the waterfront to watch the spectacular fireworks by the bay. People applauded and shouted when big fireworks exploded in the air in brilliant colors. This was indeed a memorable Fourth of July for me. I barked several times during the fireworks to express my happiness and gratitude for being able to celebrate it with my family.

CHAPTER XXIV

THREATENING SITUATIONS

My new freedom to bark came in handy. I could now alert and defend my family in dangerous situations. If I heard any noise around the house or anyone knocked at the door, I warned them by barking and growling, even though I am not a mean dog. One night I prevented a break-in by waking up the family.

"Chance, be quiet. Scram! It is three o'clock in the morning. You are being a nuisance. Go away," Sidi mumbled, half asleep and grumpy.

I stopped briefly, but I started again, barking louder and pacing frantically. He finally got up and followed me to the back door. Whoever the intruders were, they fled in a panic when they heard me slam my body against the door. They were caught by the police and we learned that they had confused our house with the house of an elderly neighbor who had gone to visit her son in another city.

On another occasion, I started barking when I smelled smoke coming from the oven. Luckily, Joy was at home. I ran to the bedroom to wake her. But her eyes stayed closed, and she made a quiet in-and-out breathing noise. Finally, I barked directly into her ear so she couldn't ignore me another second. Her eyes flew open, she threw the covers off, and scrambled out of bed.

"What is it Chance?"

I led her to the smoking stove. She pulled open the oven door and removed a flaming oven mitten that someone had carelessly left there.

"Chance, you are such a good dog!" she said, kissing me between my ears.

But was I good enough yet for them to adopt me, I wondered.

Another time, I protected Sidi when he was pulled over on a quiet street full of houses. Sidi was behind the wheel when a police car followed us, its siren blaring. I could feel Sidi's tension. A policeman told us through a loudspeaker to pull over to the side of the street and come to a complete stop. As the officer approached our car, I started barking and growling. When Sidi rolled down his window to speak to this man, I smelled the metal of his gun that I cleverly observed was hanging on his belt. It was time for me to put my head into the open window and bark and growl to show this man I really meant business. He stepped back instinctively, putting his hand on his black gun holster.

"Sir, what kind of dog do you have in there? Is he a guard dog?" he asked, his voice shaking a bit.

"Sir, he is a golden retriever, a family pet. He is not mean at all. He wouldn't even hurt a fly. I don't know why he is acting so upset. He is not like that at all," Sidi answered politely.

But I was still growling. The officer looked at me suspiciously.

"You have to calm him down," he commanded. "He is not friendly at all. He is too aggressive. You need to train him, or he will get you into serious trouble. I stopped you because you were doing thirty-five miles per hour and the speed limit is twenty-five. You also failed to stop long enough at the stop sign. I need your driver's license, insurance papers, and the registration of the car."

Sidi kept pleading his case while frantically trying to find the documents in his glove compartment stuffed to the brim with many sizes of paper.

"If I committed the infractions you mention, I am sorry," Sidi said. "I didn't see the speed limit sign because it was hidden by some tree branches. I thought I waited long enough at the stop sign too."

"Sir, what you *thought* and what you *did* are two different things," the officer said in an irritated tone. "Now, have you found the documents I requested?"

"Yes sir," Sidi said, handing him the documents. "Sorry for the delay. I just found them. Here they are."

The officer took the documents and went back to his patrol car to check them. He finally came back after we waited for a long and tense time. Meanwhile, Sidi petted my head to calm me down.

"Everything is in order but pay more attention next time. Speed limits can change quickly from street to street. Be sure to come to a complete stop next time."

He returned to his patrol car and followed us for a while. What a relief when he was out of sight! I had barked at him because I saw him as a threat and was protecting Sidi. I couldn't help it. I know now that he was a nice officer carrying out his duty. We were lucky that he only gave us a warning.

Now that I proved three times that I was a heroic protector, I couldn't help but hope that Sidi would finally adopt me.

CHAPTER XXV

INTERESTING TRIPS

I didn't do much traveling in Turkey. I was always left behind in a locked cage, under the "care" of Mustafa, and wallowed alone in sadness. But now everything had changed. My new family always included me in their travels.

Last fall we drove up north to a place called Cross Village. On the way there, we went through the picturesque town of Harbor Springs with its quaint stores and gorgeous views of Lake Michigan, a lake with big waves that was so immense I couldn't see the other side.

Then we stopped at the village of Good Hart, where we met the Murillo family from Madrid, Spain. I love children and was thrilled when their son Rafa asked me to play soccer with him. I chased him, barking as he dribbled the soccer ball back and forth just like the old times playing with Ali. He begged his mom to adopt a dog from Turkey too, and I heard the universal words moms say when kids ask for a new pet: "We'll see." I wish they knew how much a "yes" would mean to us dogs and cats sitting in a shelter.

While we played, our families talked about what a great city Madrid was with its many good restaurants, great museums, and cultural events. I knew from the many conversations I had heard at home that Madrid had been a special place for Sidi. Living there reconnected him with his long-ago Spanish roots. My family could have stayed longer sharing their wonderful experiences of living in Spain, but it was time to continue our trip. Sidi purposely drove slowly so we could enjoy the beautiful scenic views of Lake Michigan and the well-known Tunnel of Trees—a two-lane road that was bordered by towering trees.

When we arrived at Cross Village, we drove through the town center. Sidi complained there were too many people milling around and he found it hard to find a parking place close to the shops.

I myself enjoyed all the attention I received from the tourists, especially from the children who begged their parents to pet me. People were surprised when they heard that I was a stray dog from Turkey and wanted to know all about me—my Turkish name, my age, and if I arrived in the United States by boat or plane. Others asked if I understood Turkish, English, or Spanish. In truth, I only comprehended a few words in each of the languages, but Sidi's commands were burned into my dog brain. I'd also found so many other ways to communicate. Barking topped the list, but I also growled, sniffed, and wagged my tail. I definitely knew how to react to body language and tone of voice. If I misbehaved, Sidi called me over in Spanish.

"Chance, ven. Oye, ¿dónde estás? ¡Ven ahora mismo! (Chance, come. Listen. Where are you? Come right now!)"

I didn´t understand everything Sidi said, but I always responded quickly when his body language and tone of voice meant business.

As we continued walking around the village, the delicious aromas coming from the restaurant kitchens made me drool. But we weren't able to find a pet-friendly place to eat. We found something even better—a picnic table where we feasted on food that Joy bought on the way here. After giving me some water, my family took me to an isolated area to pee and poop. Of course, I could have gone anywhere since we dogs are not embarrassed about this kind of thing. Speaking of which, my family had a hard time finding a free restroom, prompting them to drive home right away. Sidi was furious and kept saying, "What a joke! We are not coming back again on a weekend. Too many tourists, not a public restroom in sight, and not a pet-friendly place to eat, either." I guess humans have their problems too.

Our second trip was to Mackinac Island, popularly known as the "Jewel of the Great Lakes." We drove up north early on a sunny day. We stopped in Mackinaw City to catch the ferry to the island. There were already tourists milling about, and they all wanted to pet me. I was looking much better, having been to the groomer the day before.

My humans walked me up to the ferry, which I'd never seen before. It was like a big open car, but it moved on water. I wanted to sit on the boat's top deck where I could feel the strong wind blow back my ears, but my family took me to the lower deck, where it was warmer but boring. The ride didn't take long, and I tried not to bark at the waves.

After docking, we headed toward the busy, noisy business district with its many tourist stores and pastry shops. I barked a few times at some gigantic animals with huge feet, long necks, and tails that lifted when they pooped. I found out later that they were Clydesdales, known for their strength and gentleness. Their job was to pull a carriage for humans who wanted to ride around the island. We decided to climb in, but the guide told us to sit in the back so I could drink out of the horses' water bucket if I got thirsty. It was a marvelous carriage ride.

The guide told us the history of all the places we visited, but what I liked the most was visiting the friendly historical Fort Mackinac and going to a park where people were flying kites and playing frisbee. Sidi made it clear I was not allowed to chase the frisbees or seagulls, but I couldn't help myself and tore off after a squirrel, which he hadn't mentioned. I miraculously caught it by the neck, and I killed it before Sidi caught up with me. Sidi was too disappointed to even yell at me. I hung my head in shame.

Before leaving the park, we stopped at the huge bronze statue honoring the Jesuit missionary and explorer Père Jacques Marquette. It reminded Sidi of the statue at the Marquette University campus in Milwaukee, Wisconsin, where he taught for many years.

Then, we walked back to the business district looking for a pet-friendly place to eat outdoors. I was so hungry and thirsty. We finally found a restaurant a bit away from the main thoroughfare. It was here that we met Adem, a young Turkish man who was studying veterinary medicine at a university.

"What university?" Joy asked.

"Michigan State University. I am in my last year," Adem replied. "As soon as I graduate, I plan to return to my hometown."

He was aware that hundreds of stray dogs ran loose in the streets of Istanbul and was happy to hear that I had been rescued. When Sidi told him about killing the squirrel at the park much to the horror of those playing frisbee, Adem said he knew it wasn't easy for stray dogs to adjust to family life.

He told us that he and a veterinary friend might open a rehabilitation clinic in Turkey to take in stray dogs like me. Sidi and Joy talked to him for a while and then walked slowly to the dock to take the ferry back to Mackinaw City.

We sat again on the lower deck because it was still windy, and the lake was choppy. We drove home tired but happy. Mackinac Island was indeed magical and lived up to its reputation of a wonderful place to visit. Besides, we met Adem, who planned to help stray dogs like me in the future.

Despite the happy ending to the day, I worried whether Sidi could forgive me for killing the squirrel in front of the mortified tourists.

I thought we were done with our vacation trips until one day I heard my family talking about going to a place called *Sleeping Bear Sand Dunes*. I wondered what was going on. Why go to a place where there are bears? Bears are dangerous.

I didn't think I'd like them, but I felt better after hearing about the origin of this name. Joy said that according to an Ojibwe legend, a mother bear and her two cubs fled from a raging fire to Lake Michigan. Once the mother bear arrived, she climbed to the top of a bluff to wait for her exhausted cubs, who didn't make it. In the cubs' honor, the Great Spirit Manitou created the two islands of North and South Manitou to mark where they drowned. The mother bear, now in the shape of an immense dune, still faithfully waits for their return someday.

We drove to this intriguing place on a cool fall morning. First, we stopped in Traverse City, known nationally as the "Cherry Capital of the World." Sidi had worked here several summers as an interpreter, helping Spanish-speaking migrant workers who came to pick the crops, especially cherries. We stopped briefly at a pet-friendly restaurant to have breakfast and then drove to the national park, where we saw breathtaking views of the dunes, Lake Michigan, and the Manitou islands honoring the bear cubs.

I loved to swim and was elated when he drove to the lakeshore for a walk. Several dogs were at the beach when we arrived, walking with their owners on the fine sandy shoreline while others bounced through the waves. I smelled a dog among them that reminded me of Big Dog. As soon I was unleashed, I ran over to sniff his butt. It was indeed Big Dog, my friend from Turkey. I couldn't believe it! I was so happy that he had made it to the United States. His wagging tail and bright eyes told me how much he loved his new family and how happy he was that they had rescued him and given him a second chance in life too.

After swimming and walking on the lakeshore for a while, it was time for some chow. Joy suggested we stop at the Shipwreck Café to eat some of their delicious food before going home. What a good idea! I was starving and wolfed down my favorite food, a juicy cheeseburger. I love hamburgers and I could have eaten ten more. This was dog heaven. What a way to finish this great trip, seeing my friend Big Dog and knowing he was happy with his forever family. I just wish I could know for sure that mine was forever too.

CHAPTER XXVI

THANKSGIVING

Winter was approaching quickly, and the brilliant autumn leaves had fallen to the ground, leaving the trees bare. I loved this season. I chased the last skittering leaves and rolled in a big pile of them, wrestling with Sidi. During a chilly walk with Sidi and Joy, I heard about the celebration of Thanksgiving, a holiday that goes back many years as it celebrates the feast shared in the autumn of 1621 between the Pilgrims and the Wampanoag Indians.

My family was excited and busy as they prepared to enjoy their own feast with friends and relatives. The night before Thanksgiving, Joy set the large table with her favorite china that she inherited from her Dutch relatives and wine goblets from Spain.

The kitchen became the center of activity and wonderful aromas filled the house. The more I smelled the food, the hungrier I got. Before a delicious dinner was ready to be served, almost everyone went out to play something called American football with a funny-shaped ball, but I decided to stay inside. I grabbed a turkey leg from a platter sitting on the kitchen counter and ran with it under the table. Just as I gobbled down the last bite, bones and all, Joy noticed what I did and screamed at me. Sidi grabbed me by the collar, dragged me to the door, and pushed me out. Once in the yard, I barked for attention to get back inside, but they ignored me. That's when I decided to join that strange game of running after the odd ball when it was thrown in the air and humans piling up on the person who catches it. I barked, cheering them on, but the ball was too big for my mouth to get around.

After a while, Joy called us back when dinner was ready. Joy and Sidi were still angry with me, only letting me lay down under the table after everyone was seated. Then, I heard them share their memories and give thanks for all their blessings. When my name was mentioned, I happily thumped my tail against the floor to say I was also thankful too. Thankful because the children kept sneaking pieces of turkey and ham to me under the table. Thankful not to be hungry anymore. Most of all, I was thankful to be blessed with a wonderful family at my first-ever Thanksgiving, even though it might well be the last holiday spent with them.

CHAPTER XXVII

CHRISTMAS

But it wasn't. Soon after Thanksgiving, I began to hear about Christmas. I thought it was odd when Sidi and Joy brought an actual tree into the house. It still had a nice outdoor aroma and the scent of squirrels and birds.

I watched as they proceeded to decorate it with colorful ornaments and lights and put beautifully wrapped presents underneath. I found out that for them Christmas was more important than a nice tree, decorations, and gifts. It was a joyful religious occasion that they celebrated faithfully. According to them, it is the time when we honor the birth of baby Jesus, God's greatest gift to mankind, with his message of joy, love, peace, and hope for everybody.

My family turned on the lights on the tree every night at suppertime and played religious music in Spanish and English. Three of their favorite Christmas carols were *Silent Night*, *White Christmas*, and *Little Drummer Boy*.

They decorated every room with Christmas motifs, especially poinsettias, their favorite flower. I was told to stay away from the poinsettias and not to eat their leaves for they could poison me. Joy prepared another delicious dinner on Christmas Day and family members came to celebrate with us. After they sat at the table, I got under it and the children fed me a lot of goodies again.

After eating, they got up and gathered around the tree to open the gifts. There was a lot of laughter as they opened their presents. I was surprised when my family gave me two gifts. One was a soft toy shaped like a funny bird that made noises when I squeezed and bit into it; the other was a bag of treats to clean my teeth. I was grateful for the two presents, but I wish they would have included the piece of the turkey left unattended on the table. What a wonderful day it was for everybody.

The weather turned bitter cold after Christmas and a ton of snow fell. I had seen flakes of snow in Turkey, but nothing like this! I loved to roll in the snow and dig tunnels to look for rabbits and other critters. My family put many towels in the garage to dry my wet fur and remove the ice painfully stuck in my poor paws before they'd let me indoors. I had a double coat of hair and was ready to go out and enjoy all the wonders that the winter wonderland had to offer.

CHAPTER XXVIII
WINTER OUTINGS

The wintry scenery around Northern Michigan can be spectacular on a bright, sunny day. I enjoyed going snowshoeing with Sidi. I was always ready to go, but it took him a while to get going. He had to make sure he was appropriately dressed for this kind of outing. Snowshoeing in the woods is a lot of fun, but you have to be prepared as the weather can change quickly.

I didn't stray too far from him except when I barked at a deer or chased after squirrels and rabbits. But I hated it when ice got stuck in my paws. Ouch! It really hurt.

I still remember ice fishing with Sidi on a blustery, bone-chilling day at a nearby lake. Hardly anyone was on the lake when we arrived. Sidi put up the shanty, drilled a hole on the ice, and sat on a small stool, hoping to catch some fish. In the meantime, I enjoyed myself, barking and chasing a pair of swans that were not very friendly. They aggressively protected the unfrozen territory where they could still feed. After they flew away, I returned to Sidi all wet and with chunks of ice embedded in my paws. He scolded me while trying to dig them out.

"Chance, don't be stupid. It is too cold to get in the water. You are covered with ice and I bet that your paws are hurting. I told you not to mess around with the swans. They will peck you."

We sat for a very long time and had not caught a single fish. I didn't whine, but what a relief when Sidi finally gave up because of an approaching snowstorm. He put me on the spot as we drove home, asking if I wanted to try this again.

"Chance, what about coming back tomorrow? The weather will be better, and the fish will start biting again."

Was he kidding me? Sitting around a dark, watery hole for hours and freezing my tail off? I barked "yes" just to be supportive. Luckily, the weather turned bad and we had to stay home.

My family was also planning to take me along to visit a shrine at the bottom of the bay in town to view and Italian marble crucifix honoring all who had perished in the water. But once again, it was canceled because a huge snowstorm was forecast for the day. "Great!" I was happy because now I had more time to visit with Obi Wan and tell him about my experience ice fishing.

CHAPTER XXIX

LOST IN THE WOODS

Walking in the woods had always been a lot of fun, especially tearing after squirrels. I was trusted and left to run free without a leash to explore, but I never wandered too far. One fall afternoon, after walking for several hours, Sidi's voice sounded irritated and anxious.

"I am really mad at myself," he said to me. "I lost track when I was looking for morel mushrooms and didn´t pay much attention to what trails I took. Now I am lost. To top it off, I can't call anybody. We are too deep in the woods and the cellular phone isn't picking up a signal."

Sidi took out his phone and tried again to get a signal. No luck. Exasperated, he sat on a tree stump and called me over.

"Chance, it's getting dark, and all the trees look alike. I have no idea how to get out. Get ready. We might have to spend the night here."

He got up and kept walking around in circles and muttering, saying he had no idea where he was. He finally stopped and sat on another tree stump. I could feel his tension rise as I nudged my head on his lap.

"Chance," he asked. "Do you know how to get us out of here? How to get home?"

The magic word was home. When I heard it, I got excited and began to bark and trot in front of him so he would follow me. He did! He rose from the stump, picked up the bag of mushrooms, and walked quickly after my wagging tail.

"Come on, Chance," he said. "Come on. Show me the way home. I will follow you."

He encouraged me all the way. Following my keen sense of smell, we arrived at a trail he recognized, marked by two birch trees that grew together from the bottom. He felt sure that he knew where he was and began to praise me.

"Wow! Chance you did it. You are a smart dog. You are a keeper. Let's go home."

I was so happy to hear what he was saying about me that I kept barking and trotting in front of him until we arrived where the car was parked. He gave me a special treat before starting the car and driving home. Joy ran to the car, her face tight with worry. He hardly had the door open when he began singing my praises.

"Honey, Chance is a trooper. I didn't pay much attention picking your favorite mushrooms and got lost in the woods. I couldn't call you because the cell phone didn't work in the woods. Chance is an amazing dog."

Sidi told her about how I sensed his frustration and began barking, taking little runs in front of him and looking back, seeing if he would follow.

"I did and now we are here. Otherwise, you would be worried to death, calling the police by now. Chance is an incredible dog. He is a trooper, a keeper. I will be calling the rescue organization tomorrow to ask them to change our foster status to a permanent owner. He is a winner, and we are very fortunate to have rescued him."

I was overcome by joy hearing his words. I licked Sidi's

hand and then Joy's too, my tail wagging in wild circles. Joy looked at me and then looked at Sidi. "Do you think he understood what you said?"

Well, I couldn't understand his exact words, but like I said, I'm really good at picking up on body language and Sidi's tone of voice. He had given me a sense of purpose and balance. My journey had been long, hard, and difficult, but I'd arrived at my destination. I had found my forever family.

CHAPTER XXX

UNPRECEDENTED FEAR

Life was good and I was so happy but then things changed dramatically for everybody. I kept hearing my family talking about something that sounded like Covid. I thought they were talking about getting another dog named Colby. I found out that was not the case. They were concerned about a lethal virus that spread like wildfire worldwide.

I could feel Sidi's fear and panic when one night, when they would usually be sound asleep, Joy became violently ill. I nosed her hands and felt her hot skin. I smelled a virus odor in her breath. I became very agitated when the paramedics came and rushed her to the hospital in an ambulance. Luckily, she didn't have this coronavirus but a bad case of the flu.

But Sidi received a phone call later in the week and learned his younger sister was less fortunate. She got the virus and died alone at the hospital. I am at a low risk of getting the virus, but it pains me to see how it has affected everybody and my family in particular.

EPILOGUE

I bonded with everyone in my family right away but especially with Sidi. I found out that we had a lot in common when he shared a few of his life experiences as we walked in the woods, strolled along the waterfront, looked for the famous Petoskey stones, went snowshoeing, or watched the stunning sunsets at the Little Traverse Bay.

So now I'll turn the story over to Sidi to tell it himself.

> My story, like Chance's, has had many ups and downs. It is a long story full of memories and facts that have contributed greatly to making me who I am and what I believe.
>
> We both fled from mean and vindictive people and cherish freedom. We believe in the goodness of people and a second chance in life. I was young and very apprehensive like you when I came to America. It was not an easy decision, but there was no future for me in my country. There was political turmoil at that time, but still my mother was dead set against me leaving. She feared we'd never see each other again. However, she gave me her blessings so that I could further my education. She wanted the best for me and made the ultimate sacrifice of a mother.
>
> I didn't see her, my father, and brothers and sisters for twenty-five years because of the political

tensions between my country and the United States. Chance, life has not been easy for either one of us. But no matter what happens to us, we have to stay positive and have faith that *si se puede con la ayuda de Dios*. Yes, we can overcome with the Lord's help.

I was lucky so many people opened doors for me along the way and gave me a second chance. I was especially fortunate that a family in Big Rapids, Michigan, sponsored me when I first arrived in this country and stepped in as my own forever American family when it was clear that I couldn't return home. We still see each other often, and my sponsor sister, Jeanne Willoughby, even drew pictures of you for this book!

I gave Chance his name, because he, like me, like all of us, deserved a second chance in life. His journey has been arduous, but he is happy now that he has found his forever family.

I did write to Adem, the young student from Istanbul, whom Chance met on one of his trips, about the information on Chance's Turkish microchip. I asked him if he could find out more about his previous family. This is what he wrote.

Dear Mr. Gabriel Alba,

It was very nice hearing from you. I still remember you, your lovely wife, and Chance. Since coming back to Istanbul, my friend Said and I have opened a Rehab Veterinary Clinic as we planned to help many strays like Chance.

Regarding the information you asked about Chance´s

former family, this is what I found. Alim and his wife Soraya died. But the children live with relatives in Yenimahalle, an Urban Residential District of the province of Ankara, in the central region of Anatolia. Aceyla is now in high school and wants to be a music teacher like her mother. Ali is studying International Law at Ankara University and still plays soccer. They were very happy that Scoit, his former name, has found a new family in America. They say they love him and wish him well. They would like a picture of him with your family. I could provide Ali's address.

I hope it is not too cold in Michigan now. I still remember the huge snowstorms when I lived in East Lansing. Feel free to write me anytime.

Sincerely, your friend Adem Cetin

I knew that if Chance could understand Soraya's fate, he'd be overcome with sadness. Another stolen life just like Alim's. But he'd be gratified that Ali and Aceyla were safe and remembered him.

I am happy for Chance. He is an extraordinary dog, who has lived up to his potential, and even past it. He has taught me much about patience and unconditional love. We are blessed to have rescued him and look forward to having Chance with us for many years to come.

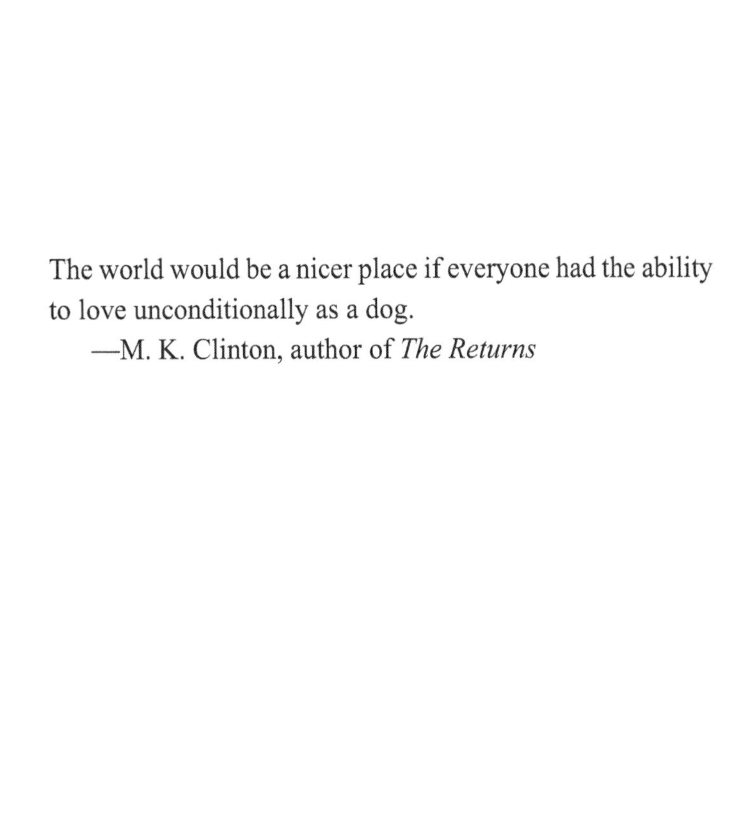

The world would be a nicer place if everyone had the ability to love unconditionally as a dog.

—M. K. Clinton, author of *The Returns*

VOCABULARY:

Turkish		English
Aslan	-	The lion
Cemil	-	Beautiful
Git	-	Go
Habib	-	Beloved
Iyi köpek	-	Good dog
Sidi	-	My lord
Tombul	-	Chubby
Zeka	-	Intelligent

ABOUT THE AUTHOR

Armando González-Pérez emigrated from Cuba at the age of 18 to study English at Ferris State University in Michigan. During his first year, he was sponsored by a Big Rapids family, "his saviors," with whom he's remained close for more than five decades. Jeannie Willoughby, the book's illustrator, is his sponsor sister.

Now an emeritus professor at Marquette University in Milwaukee, Wisconsin, Armando received his doctorate from Michigan State University and taught for many years at Marquette University in the Department of Languages, Literatures, and Cultures. His many publications include *An Essential Anthology of Afro-American Poetry; Critical Approaches to Afro-Cuban Literature; Afro-Cuban Theater of the Diaspora;* and *Feminine Voices in Contemporary Afro-Cuban Poetry.*

ABOUT THE ILLUSTRATOR

A native of Michigan, M. Jeanne Willoughby earned degrees in Art and English at Michigan State University. At the Falmouth School of Art in England, her interest in animation culminated in the creation of *Contretemps of the Pariah*, a 16-mm color animated film. After moving to San Diego, California, Ms. Willoughby earned her master's in Educational Technology and worked for over three decades as an instructional designer. In 1985, she illustrated *Everything is Okay* by Steve Kowit, then collaborated with author C. J. Minster to illustrate two educational children's books, *We're All Peas in a Pod* and *Do You Know Me?,* as well as the cover design for *The American Religion in General* by R. E. Willoughby. Having retired in 2017, Jeanne continues to work on a variety of creative projects and lives happily with her spouse and two standard poodles.

CHANCE

de Turquía con amor

Armando González-Pérez

Illustrated by Jeanne Willoughby

MISSION POINT PRESS

EN ALABANZA DE *CHANCE, DE TURQUÍA CON AMOR*

El escritor estadounidense Edward Hoagland alguna vez dijo que "para disfrutar en verdad de un perro no se debe tratar de entrenarlo para que sea semihumano. El punto es abrirse uno a la posibilidad de ser más perro." Y en esencia, al estilo de *Platero y yo*, Armando González-Pérez nos lleva a ese mundo perruno y nos diluye en donde lo canino se mezcla con lo humano a tal grado que el lector no sabe si las ideas políticas de Chance son de él mismo o si el escritor nos ha transportado a otra dimensión. Es un libro que se puede leer con auténtico interés infantil o con un ojo crítico de adulto, pues el libro nos hace ver los antivalores humanos como la avaricia del vendedor de perros o la hipocresía humana encarnada en Mustafa y cómo el hado le dio a Chance, otro chance en la vida, otra oportunidad, another chance.

—Nelson López Rojas, autor de *Aguacero*

Como veterinario siempre he especulado en cuanto a la experiencia que soportan muchos de nuestros animales rescatados antes de encontrar su hogar para siempre. Esta es una historia conmovedora contada desde la perspectiva canina, que destaca la relación humano animal y el amor incondicional de los perros. El viaje asombroso de Chance a través de los continentes, para encontrar su hogar permanente, es sólo un ejemplo de lo que los animales rescatados experimentan, y los beneficios mutuos que reciben dueños y animales.

—Dr. Ryan Warnermuende, Jansen´s Animal Hospital

La historia de Armando González-Pérez es una que narra las pruebas y tribulaciones desde el punto de vista de su protagonista, Chance, un perro golden retriever. Es una historia conmovedora y a la misma vez encantadora que disfrutarán niños y adultos por igual. Nos cuenta de como un feliz cachorrito nace en algún lugar de Turquía y termina como una querida mascota en Michigan. Al ser contada desde el punto de vista canino, nos hace preguntarnos: ¿cuál es el lazo, misterioso pero muy real, entre los seres humanos y nuestros amigos caninos? Aunque la historia de la asociación con nuestros compañeros cuadrúpedos se ha perdido en el tiempo, no parece haber dado la mayor comprensión sobre la capacidad para sentir de ellos o de las otras criaturas con quienes compartimos el planeta. Esta es una historia de amor, pérdida, crueldad, abandono y desplazamiento que logra, no obstante, reafirmar el valor redentor del amor y lealtad que nos brinda su extraordinaria compañía.

—Diana Álvarez-Amell, autora de *Tres novelas de Cirilo Villaverde*

Una historia encantadora de un perro es busca de amor. Chance le cautivará mientras se enfrenta al peligro y la aventura en camino a encontrar su hogar para siempre. Una lectura recomendada para los amantes de perros en todas partes.

—Jenna Mindel, autora de *La oración de un soldado*

Chance de Turquía con amor

Published by Mission Point Press
2554 Chandler Rd.
Traverse City, MI 49686
(231) 421-9513
www.MissionPointPress.com

ISBN-13: 978-1-954786-35-6
Library of Congress Control Number: 2021910963

Manufactured in the United States of America
First Edition/First Printing

Para mi esposa, mi alma gemela, cuyo amor y ánimo han contribuido a que este libro sea posible.

Para los trabajadores de rescate cuya dedicación ayuda a muchos de nuestros amados animales.

El mundo sería un lugar mejor si todos tuviéramos la habilidad de amar incondicionalmente como un perro.

—M. K. Clinton, autora de *The Returns/ Los regresos*

RECONOCIMIENTO

Mis más sinceros agradecimientos a todas las personas que hicieron posible la publicación dual de *Chance: from Turkey with Love/Chance: de Turquía con amor*. Gratitud adicional a Jenna Mindel, Teresa Dovalpage, Diana Álvarez-Amell, Nelson López Rojas, Ryan Warnemuende, Isabel Dunn y mi esposa Jill por la lectura y sus valiosas sugerencias. Gracias especiales a Jeanne Willoughby por sus hermosas ilustraciones que captan la esencia de la historia de Chance. Muchas gracias al personal de Mission Point Press por convertir los manuscritos en un libro. Estoy muy agradecido con la editora Anne Stanton por su pericia, amabilidad y paciencia en contestar a mis preguntas. Por último, muchas gracias a todos los rescatistas de animales por rescatar perros como Chance.

Bendiciones a todos.

ÍNDICE

PRÓLOGO

"Chance, ¿qué te pasa? ¡Estás soñando otra vez! Todo está bien. ¡Despierta, despierta!"

Chance tenía otra pesadilla que le hacía gemir y estirarse como si estuviera corriendo. Lo más probable es que estaba reaccionando a experiencias traumáticas que había sufrido y que todavía afectaban su comportamiento. Chance despertó momentáneamente de esta pesadilla, me echó una mirada soñolienta, respiró profundamente y volvió a dormirse. Chance es un golden retriever inteligente, fiel, y cariñoso que nos llegó a nosotros de Estambul, Turquía, por medio de Great Lakes Golden Retriever Rescue, una organización sin fines de lucro en Grand Rapids, Michigan. A pesar de todas sus malas experiencias, Chance es un perro extraordinario que confía y ama a todos, especialmente a los niños. Este es un relato ficticio de su vida que se basa en la historia real de su asombrosa aventura internacional.

CAPÍTULO I
NACÍ PARA AMAR

Nací en una camada de ocho cachorritos, cinco hembras y tres machos, en el pueblo de Sirince en Turquía. Mi padre era un golden retriever grande de color crema y mi madre era de tamaño mediano de color más oscuro que podría emparentarla con un setter irlandés. Ambos tenían un pelaje sedoso y los ojos de color de miel. Recuerdo con cariño a mis hermanitos traviesos y a mi dulce madre que con sus urgentes gruñidos y regaños nos enseñó como comportarnos y nuestro lugar en la estructura social de un perro. A las ocho semanas, cuando ya comíamos comida para cachorritos, mi madre comenzó a alejarse de nosotros cuando nos atrevíamos a subirnos en ella para recibir un poquito de cariño. Ella era muy cariñosa, pero ya era hora de terminar su deber maternal. Mi primera familia humana fue la familia Tarik compuesta por los padres, los abuelos paternos y tres niños muy cariñosos que se llamaban Kaan, Adile y Aysel. Me llamaban Tombul porque corría con ellos en el patio como si fuera una pequeña bola de pelo. Nos querían y nos cuidaban bien, pero llegó el momento para vendemos.

CAPÍTULO II

UN VIAJE LARGO Y TEDIOSO

El hombre que nos compró se llamaba Atak, quien no era una buena persona. Un hombre rencoroso de barba espesa y pronunciada cojera, quien nos maltrató en el poco tiempo que estuvimos con él. Tan pronto nos compró, nos apretó en dos pequeñas jaulas sucias y cerró las puertas de golpe con un fuerte sonido metálico. Tiró las jaulas en la parte trasera de su destartalada camioneta y así comenzó un largo y tedioso viaje muy caluroso hacia la ciudad de Estambul. Atak no nos dio nada para comer o beber en todo el viaje. Ni una sola vez nos dejó salir para evacuar. Lloriqueamos y ladramos como cachorritos y arañamos los alambres de las jaulas, pero Atak no nos hizo caso. Siguió conduciendo sin importarle que las jaulas se deslizaban de un lado a otro con los baches en la carretera. Nunca me había sentido tan solitario a pesar de que estaba apretado con otros tres cachorritos miedosos y sudorosos. Extrañaba a mis niños humanos. Estábamos avergonzados por evacuar en las jaulas y ensuciar la manta que nuestra mamá Tarik había puesto con tanto cariño en las jaulas para que nosotros descansáramos. El ruido era también ensordecedor. Podías escuchar el graznido de los pájaros y el rodar de botellas vacías de vino, rebotando en la camioneta, durante la trayectoria del viaje.

Me tapé los oídos con las patas, pero no me ayudó mucho. Para colmo, Atak se pasó todo el viaje amenazándonos.

"¡No fastidien más! Me están enloqueciendo con sus gimoteos y ladridos. Les voy a dejar tirados en medio de la carretera. Nadie les cuida mejor que yo. ¡Cállense!"

Sabíamos que estaba fanfarroneando. Le gustaba mucho el dinero y vino para deshacernos de nosotros sin sacar ningún provecho. De hecho, le dijo a su amigo por teléfono que no pagó mucho por nosotros y que éramos una buena inversión. Cada vez que se detuvo a comprar gasolina, salía de la gasolinera echando pestes.

"¡Qué grupo de ladrones! Debieran encarcelarlos a todos. La gasolina que venden está carísima, la comida sin sabor y el vino aguado".

Estaba tan enojado que nos convertimos en la diana de su cólera.

"¡Cállense, perros apestosos! Se están comportando igual que esos desalmados que me robaron. ¡Cállense! Ya me tienen los pájaros graznando. Estoy harto de ustedes. Sólo habrá tranquilidad cuando los venda".

Si gemimos y ladramos era porque estábamos hambrientos y tristes por separarnos de nuestra familia humana. Nos preocupaba lo que nos pasaría. El viaje fue una pesadilla. Mientras nos acercábamos a las afueras de la ciudad de Estambul, Atak comenzó a vociferar.

"Al fin llegamos, al fin llegamos. Gracias a Alá, el Compasivo, el Misericordioso".

Atak conocía bien la ciudad y una vez allí condujo como un loco hacia el distrito de Sariyer donde nos vendería. El estaba convencido que la gente adinerada que vivía allí nos compraría enseguida. Su avaricia era tanta que lo cegaba. Se jactaba en voz alta de que sería rico tan pronto nos vendiera.

"Los venderé pronto y seré rico, rico. No tendré que aguantar más sus lloriqueos y peste, impuros y hediondos animales".

CAPÍTULO III

REGATEAR

El comportamiento del miserable Atak cambió dramáticamente cuando llegó a la tienda de mascotas y comenzó a hablar con el dueño, un hombre mayor de amables ojos de color café.

"Su excelencia Ismael, que Alá, el Compasivo y Misericordioso, lo bendiga. Traigo buenas noticias. Tengo en la camioneta los perritos y las aves exóticas que le prometí. Compré estos cachorritos en Sirince de un criador legítimo y de buena reputación. Si hubiera visto los padres. ¡Magníficos perros de raza! Eran golden retrievers hermosos y estaban bien alimentados. Él también me aseguró que venían de Escocia. Su señoría, mire los cachorritos. Son los más inteligentes y hermosos perritos que he visto en toda mi vida. Los comprarán enseguida. La gente rica en este distrito pagará buen dinero por ellos. Se los vendo a un precio regalado. Sólo le pido 180 liras por cada uno, pero si me compra la camada rebajo el precio a 840 liras. ¡Una verdadera ganga! Los pájaros exóticos se los vendo baratos también; 60 liras por cada uno o 130 por los tres. Son una maravilla de pájaros. Vienen de Sudamérica y cantan melodiosamente. Fíjese en el brillante plumaje. ¿No son increíblemente bellos? También los he cuidado con esmero en el poco tiempo que han estado conmigo. ¿Tenemos un trato?"

Los ojos de Ismael se endurecieron y le preguntó a Atak si lo tomaba por un idiota. Se echó a reír y luego lo amonestó con dureza.

"Atak, déjate de hablar tonterías. Tu precio es ridículo. Estoy seguro que le pagaste una miseria a quien llamas un criador acreditado y legítimo. Seguro que era un campesino pobre de quien te aprovechaste cuando le compraste la camada. ¿Cómo puedes decir que los has cuidado bien? Fíjate en las condiciones que están los cachorritos. Están muy sucios y el hedor a orina y excrementos me dificulta respirar. Su pelaje está también enmarañado y posiblemente tengan pulgas. En cuanto a los pájaros, sabe Dios dónde los compraste y cuánto pagaste por ellos. Están escuálidos y no los he oído cantar todavía. ¿Cómo puedo estar seguro que cantarán melodiosamente cómo has dicho? Mi oferta es de 475 liras por la camada y 75 por los pájaros. ¡Tómala o déjala!"

Ataka se rascó la barba y permaneció silencioso por un momento pensando en la contra oferta de Ismael. Pero él no estaba a punto de ceder. Esta no era la primera vez que había tenido que recurrir a su habilidad cómo vendedor para salirse con la suya. Se acercó a nuestras jaulas y continuó alardeando de nosotros con la esperanza de conseguir un mejor precio.

"Pero su excelencia, mire otra vez estos hermosos cachorritos de pura raza. Una vez que los haya bañado y acicalados podrá ver su belleza natural. Le garantizo que son leales y tienen un excelente temperamento. No me crearon ningún problema durante todo el viaje. Estaban tranquilos y durmieron todo el tiempo".

Golpeé mi cola contra la jaula al oír semejante mentira. ¡Cómo podíamos estar tranquilos y dormir cuando nuestro estómago gruñía de hambre!

Atak continuó con sus mentiras alabando nuestra lealtad hacia él.

"Sólo lloriquearon un poquito cuando me alejé a comprar gasolina. Se callaron tan pronto me vieron regresar porque me extrañaban. ¿Qué le parece el precio de 525 liras por la camada y 85 liras por los pájaros?"

Ismael caminó con lentitud hacia nuestras jaulas malolientes para revisarnos otra vez. Luego, se volteó hacia Atak y lo volvió a reprender por la forma en que nos había tratado y su desconocimiento de nuestro valor real en el mercado.

"Tienes que estar bromeando. ¡Míralos! Son un asco por tu descuido. También necesitas saber el precio de mercado que este tipo de perro tiene ahora. El interés por esta raza ha disminuido muchísimo recientemente. Solía ser un símbolo de posición social tener un golden retriever y eran perros muy codiciados. Pero no tanto ahora. El problema de salud relacionado con la manipulación excesiva de su crianza los ha hecho menos comercializables. Es una pena, pero muchos son abandonados según envejecen. Los golden retrievers son por su naturaleza dóciles y les cuesta sobrevivir en las calles o en los bosques contra razas más agresivas. El hecho es que su precio de venta se ha desplomado. Mi oferta final es más que justa. Sabes muy bien que vendrán otros vendedores con mejores precios que los tuyos".

El astuto Atak se quedó desconcertado al escuchar lo que le decían, pero se dio cuenta que Ismael tenía razón y que nunca cedería. Pensó por un momento en su oferta final y terminó aceptándola a regañadientes. Al salir de la tienda, el malhumorado Atak lo maldijo con una voz apenas audible que solo nosotros podíamos oír debido a nuestro extraordinario sentido auditivo.

"¡Sinvergüenza! ¡Chupa sangre! Siempre aprovechándote de los pobres. Me acabas de tratar como si fuera una basura. Yo no soy un vagabundo, un don nadie. Soy un pobre hombre tratando de ganarse el pan de cada día como cualquier otro. ¡Qué Alá el Compasivo, el Misericordioso, lo perdone!"

Tan pronto Ataka se fue, Ismael les dijo a dos ayudantes que pusieran a cada uno de nosotros en jaulas más grande con comida, agua y una manta limpia para echarnos. Después les ordenó que nos bañaran lo antes posible. Lloriqueé porque echaba de menos a mi querida madre y no podía retozar con mis hermanitos. Sobretodo, anhelaba los abrazos y caricias de los niños Tarik. Sin embargo, comencé a sentirme mejor después de que me alimentaron y me embellecieron. Ahora tenía más espacio para moverme en la jaula y dormir sin que mis hermanitos me picharan con las patas.

CAPÍTULO IV

LA FAMILIA SADIK

Estaba muy contento porque después de unos cuantos días en la tienda de mascotas, me compró una familia musulmana. Era la familia Sadik de Alim, Soraya y sus dos hijos, Alí de trece años de edad y su hermanita Aceyla de ocho años. Los niños me abrazaron y me acariciaron, incluso pelearon por saber quién podía abrazarme. Eran muy amorosos y se encariñaron conmigo enseguida. ¡Por fin recibía el respeto que merecía! Un joven flaco que trabajaba en la tienda de mascotas me trasladó a otra pequeña jaula limpia y me llevó al automóvil grande de la familia. Me puso en la parte de atrás donde estaba oscuro y no pude ver nada. Comencé a gemir recordando los terribles recuerdos que tenía de mi último viaje en la camioneta destartalada de Atak y también porque quería estar más cerca de los niños. Los padres no eran tan amables como sus hijos. Después de gritarme varias veces que me callara, el padre se puso muy enojado y detuvo el automóvil al costado de la carretera. Su cara estaba encendida y le dijo a su esposa que había sido un error haberme comprado.

"Soraya, no te das cuenta que el perrito ya empezó a molestar. Tendremos que entrenarlo. ¿Quién lo hará? Nosotros no tenemos el tiempo disponible. Yo estoy sumamente ocupado con mi trabajo en el banco y con la política.

Tú tampoco tienes tiempo enseñando y con tu vida social. ¿Quién lo va a cuidar? Además, sabes muy bien que no puede entrar en casa".

Soraya le respondió con dulzura que iba a vivir en el jardín y que sería entrenado por el jardinero.

"Alim, mi amor, no te preocupes. Todo saldrá bien. Veré que se quede en el patio todo el tiempo y lo entrene Mustafa. Este cachorrito es precioso y muy inteligente. Se acostumbrará y aprenderá muy pronto su lugar con nuestra familia. Mis amigas se pondrán celosas cuando sepan que lo compramos. Además, los niños tendrán otro amiguito con quien jugar después del colegio".

Entonces, le pidió que pusiera la jaula al lado de los niños para que dejara de gemir. Me alegré cuando lo hizo. Por fin llegamos a su hogar. Era una casa grande y en el centro había un patio amurallado lleno de olorosas flores. Mi nuevo dueño era un hombre serio y directo de penetrantes ojos negros que trabajaba como banquero y estaba involucrado en la política. Su esposa Soraya, una mujer vivaz y bella, trabajaba de tiempo parcial como maestra de música en un conservatorio. Se preocupaba mucho por su apariencia física y su estado social; siempre estaba arreglándose el cabello ante el espejo. Después de un rato, volví a lloriquear para que me sacaran de la jaula. Quería jugar con los niños y mostrar mi amor y cariño hacia todos. Me entristecí cuando escuché que tenía que vivir en el patio separado de mi nueva familia. Es una lástima que este este tipo de arreglo ocurra entre algunos musulmanes, quienes consideran a los perros animales impuros y nunca los dejan entrar en la casa. Escuché al dueño de la tienda de mascotas hablar con su ayudante flaco de esta penosa situación. Él le comentó que según el Sagrado Corán los animales no son sucios. De hecho, lo contrario. Le dijo que los animales son apreciados y forman parte de la creación de Alá y deberíamos respetar su creación.

No hay animal en la tierra, ni ave que vuele con sus alas, que no constituyan comunidades como vosotros. No hemos descuidado nada en la Escritura. Luego, serán congregados hacia su Señor.

Por fin, terminó recitando la "Sura, 6:38" que me dejó un poco confuso. Supe más tarde que la religión islámica no prohíbe tener un perro, pero debido a problemas de higiene la mayoría de los musulmanes piensan que es mejor mantenerlo afuera.

Mi familia no era una excepción a esta idea de pensar y me cuidaba a su manera. Poco después de mi llegada, Alim me llevó en una jaula a la Clínica Veterinaria Bienestar para un chequeo físico. El viaje esta vez fue mejor que cuando me trajo a casa después de comprarme en la tienda de mascotas en Estambul. No lloriqueé y él no me gritó. Una vez que llegamos a la clínica, se reunió con el doctor Mesut, un amigo de la familia, que vestía una bata blanca y olía como el animal extraño que vi cuando entramos en la oficina. Lo que después recordé fue que una gata se volteó y me siseó cuando traté de oler debajo de su cola. ¡Qué grosera! Ella no había aprendido a saludar a un cachorrito tan lindo como yo. El doctor Mesut saludó a Alim con entusiasmo, muy contento de verlo.

"Buenos días Alim. ¡Qué gusto verte de nuevo!

Te echamos de menos en las dos últimas reuniones juveniles de fútbol. Tu chico Alí es realmente un buen jugador. Hablaron de trasladarlo al equipo de viaje. ¿Qué opinas?"

"Mesut, estoy tan feliz por Alí. No sé si podré asistir a todos sus partidos especialmente cuando yo mismo estoy de viaje. Lamento no haber asistido a esas reuniones, pero últimamente he estado muy ocupado en el trabajo. Me tomé un tiempo libre esta mañana para traerte este cachorrito que Soraya me convenció que comprara. Sabes lo persuasiva que puede ser ella. A fin de cuenta, lo compré. Ella quiere estar segura que está sano por el bien de los niños. Ellos jugarán con él en el patio donde vivirá con el jardinero".

Entonces, el veterinario le pidió a Alim que me subiera a la mesa. Me estremecí por el frío del metal gris de la mesa. El veterinario chequeó mi corazón. Me gustó cuando usó ambas manos para acariciar mi cuerpo de pies a cabeza. Pero luego se puso un guante e insertó su dedo, bueno no voy a entrar en detalles, que no me gustó para nada. Después le dijo a Alim que estaba en buenas condiciones de salud.

"Este es un cachorro hermoso y está en perfectas condiciones. Recomiendo que le pongamos un microchip con tu nombre y otra información pertinente en caso que se escape y alguien lo encuentre. Este tipo de raza de perros es a veces incluso robada. Necesitas protegerlo por si acaso".

No me dolió cuando el veterinario me puso el microchip y luego me dio unas golosinas. Lo perdoné por todo. Alim se despidió de su amigo y me llevó a casa. Pensé en camino a casa que era una tontería que hablaran de que me escaparía. Yo nunca lo haría a pesar de que tenía que vivir en el patio con el jardinero, quien siempre me miraba con mal ojo. Días sin alegría se asomaban en el horizonte, pero tenía que ser positivo. Con suerte, viviría eventualmente en la casa con los niños.

CAPÍTULO V

MI NUEVO NOMBRE

La historia de mis nombres se relaciona con los altibajos de mi propia vida. La familia Tarik me llamaba Tombul de pequeñito. Ahora la familia Sadik piensa llamarme Scoit porque Ismael, el dueño de la tienda de mascotas, les dijo que yo venía de Escocia. La verdad es que a mí no me importaba si me llamaban Tombul, Scoit o Scott. Yo sólo quería que me amaran y me cuidaran. A Soraya le gustó este nombre porque para ella representaba realeza y era apropiado para mi color dorado. Todavía recuerdo la conversación que tuvo con su esposo antes de comprarme

"Alim, mira el perrito lindo en la tercera jaula. El dueño de la tienda me aseguró que vino de Escocia. Lo considera uno de los más hermosos cachorritos golden retriever que ha tenido para vender en muchos años. Míralo. Es una belleza. Lo vende por sólo 200 liras. Como sabes, está de moda tener este tipo de perro. Es una verdadera ganga. Si lo compramos, podré presumir de él con mis amigas. Además, los niños podrían jugar con él en el patio. ¡Anímate! Tenemos que decidir pronto antes de que alguien lo compre".

Soraya era una mujer encantadora y persuasiva así que me puse muy contento cuando me compraron. Sin embargo, todavía recuerdo que cuando ella puso la mano en la jaula para acariciarme y yo traté de lamerla, la retiró de inmediato.

¿Lo hizo por miedo o porque me consideraba un animal impuro? No lo sé, pero sentí que no había ternura o cariño en ella cuando me tocó. ¡Qué triste! Sólo me compró para satisfacer su vanidad y ser un juguete más para sus hijos.

CAPÍTULO VI

DÍAS TRISTES

Tuve muchos días tristes con la familia Sadik, bajo el cuidado de su odioso jardinero. Me tuvo la mayor parte del tiempo en una jaula. Sólo me sacó de ella cuando los niños venían a jugar conmigo o yo me ponía a ladrar sin parar porque tenía que salir a orinar o defecar. ¡Qué asco estar en una jaula sucia! Una vez fuera de la jaula, correteaba y exploraba cada rincón del jardín olfateando el maravilloso aroma de los lirios, rosas y tulipanes. Algunas veces oriné e hice caca en los arbustos de mirlo que con sus brillantes hojas y aroma frescos hallaba irresistible ¡Qué mejor lugar! Luego, Mustafa me gritaba, me maldecía y me perseguía. Cuando me alcanzaba, me agarraba por el cuello, me tiraba violentamente de la correa y me golpeaba en el hocico. Yo le gruñía y le enseñaba los dientes para que no siguiera maltratándome. Según crecí y me puse más fuerte, su tratamiento mejoró un poco. Ahora me dejaba pasar más tiempo libre en el jardín si no estropeaba las flores, pero al anochecer me metía en la jaula otra vez. Mustafa no sólo fue cruel conmigo sino que era un hipócrita también. Siempre se congraciaba con Soraya mientras hablaba mal de ella con Asmiye, la ama de casa, que siempre tenía el ceño fruncido cuando estaba con los niños. Ellos chismeaban sin cesar sobre Alim y sus secretas reuniones políticas. Hablaban en voz alta de los humanos extraños que lo recogían, en la oscuridad de la noche, con los faros apagados de sus coches mientras se deslizaban por el camino de entrada a la casa. ¿Era él parte del movimiento rebelde que trató de derrocar al presidente turco? Ellos se imaginaban la posibilidad de encontrar evidencia de su trabajo secreto y entregarlo a la policía por una recompensa. Esto significaría un nuevo comienzo para ambos—tendrían lo suficiente para casarse y no tener que ocultar cuánto se amaban. Cuando Soraya venía al jardín a recoger a los niños, Mustafa le mentía descaradamente.

"Señora Soraya, que el Compasivo y el Misericordioso Alá bendiga y proteja a su familia. Siempre estoy al tanto de que Scoit sea cariñoso con los niños. Como creyente, nunca lo dejaré entrar en la casa. Yo soy un hombre honesto y de confianza que siempre desea lo mejor para su familia".

¡Qué mentiroso! Cada vez que le escuché mentir, quería saltarle encima y morderlo. Anhelaba tener el don de poder hablar para decirle a Soraya de su maltrato conmigo y cómo odiaba a su familia.

CAPÍTULO VII
DÍAS FELICES

Los momentos más felices del día eran cuando los niños llegaban de la escuela y venían a jugar conmigo. Su presencia y amor me levantaron el ánimo después de largos y solitarios días bajo el cuidado del cruel e inútil Mustafa. Alí me enseñó varios mandatos cuando jugaba con él. Si tiraba una pelota de tenis lejos, me mandaba a recogerla gritando *git*. Cuando se la traía y la dejaba a sus pies, me daba una golosina, palmaditas en la cabeza y me decía *Iyi köpek*. Yo siempre movía la cola alegre y nada me deleitaba más que cuando le escuchaba decir que yo era un buen perro. Otras veces, Alí jugó con una pelota mucho más grande. La pateaba contra uno de los muros del jardín y cuando rebotaba la atrapaba con los pies o el pecho. Siempre me decía que necesitaba practicar mucho si quería ser un buen jugador de fútbol como Lionel Messi o Arda Turan. Yo no sabía nada de fútbol o quienes eran ellos, pero me encantaba jugar con él. Su hermanita Aceyla se reía cuando yo ladraba de pura alegría y corría feliz tras el balón de fútbol o trataba de bloquearlo cuando Alí lo driblaba. Otras veces, Aceyla se entretenía corriendo tras las mariposas o recogiendo flores. Yo movía mi cola como un helicóptero cuando me abrazaba y me daba besitos entre las orejas. Los niños me querían y yo los adoraba. No quería estar lejos de ellos. Un día al anochecer, me metieron en la casa cuando Asmiye, el ama de casa, fue a un Café con Mustafa y Alim se había ido a escuchar un recital de piano de Soraya a pesar de que estaba abrumado de trabajo. Era maravilloso estar solo con los niños en la casa. ¡Qué casa tan bonita! Tenía muchas luces que hacían las habitaciones más luminosas. Había muchas sillas y cómodas alfombras donde podía echarme y acurrucarme a dormir ¡Qué paraíso! Los niños me llevaron a sus dormitorios donde Aceyla me mostró algunos de sus juguetes y Alí señaló con orgullo sus medallas y trofeos de fútbol y los carteles de famosos jugadores de fútbol. Después los seguí hasta la luciente cocina donde abrieron una caja blanca rebosada de alimentos. No podía creerlo. ¡Tanta comida apilada estante tras estante! Ellos sacaron carne y queso para comer e incluso compartieron sus sobras conmigo. Tuve cuidado de no morderlos cuando comí de sus manos. ¡Cómo deseaba poder vivir con ellos en la casa! De pronto, Alí escuchó un ruido y me agarró por el collar. Le dijo a su hermanita que se mantuviera tranquila. Él me sacó a hurtadillas por la puerta de atrás mientras Asmiye y Mustafa se acercaron a la casa. Lo seguí mientras me regresaba sigilosamente al jardín. ¡Vaya! ¡Qué aventura! Todavía sueño con esa aventura.

¡Qué lástima! Ese fue mi único día dentro de la casa. Los niños siguieron jugando conmigo después del colegio, pero mi dichosa felicidad terminaba siempre cuando Soraya venía a recogerlos. Entonces, Mustafa me ponía la odiosa correa y me obligaba a estar tranquilo. Tenía ganas de saltar y atacarlo, pero me quedaba quieto cuando ella se me acercaba. Siempre podía oler la fragancia de las cremas y perfumes que se ponía, pero los vapores me daban dolor de cabeza. Ella siempre me tocaba la cabeza y me decía, "Scoit, sé un buen perro. Te queremos".

Yo sabía que lo que decía no significaba mucho porque no había ternura en sus palabras. Esta vez agregó antes de irse.

"Los niños no jugarán contigo por un tiempo. Tenemos que visitar a unos amigos que viven en la costa de Izmir. Todos nosotros necesitamos unas vacaciones. Alim está muy preocupado y tenso con su trabajo. El necesita un buen descanso. Mustafa te cuidará bien".

Me puse muy triste al escuchar lo que me decía.

No podía entender por qué no me llevaban con ellos. ¿Qué había hecho de malo? Había sido un buen perro. Quería mucho a mi familia, especialmente a los niños. Me preocupaba lo que estaba pasando. ¿Qué quería decir ella con que todos ellos necesitaban unas vacaciones y que Alim estaba muy tenso? Aunque Soraya no sabía hasta que punto su esposo estaba involucrado con el movimiento de resistencia, ella debió sospechar algo porque el tono de su voz transmitía pánico y miedo. Yo presentí que estas vacaciones eran solo una disculpa para escapar del peligro que corrían. Pero, ¿por qué no me llevaban con ellos? Yo también era parte de la familia. Yo estaba tenso y temía que algo malo ocurriría de esta inesperada separación. Tenía la sensación de que no los volvería a ver por mucho tiempo. Estaba tan frustrado que no sabía que hacer. Quería decirle que Mustafa y Asmiye planeaban su desaparición. Pero, ¿cómo? Una vez más, cuanto me hubiera gustado poder hablar su lengua. Me puse tan agitado que comencé a saltar y a ladrar furiosamente cuando la puerta del jardín se cerró tras ella.

CAPÍTULO VIII

TRAICIÓN

Poco después de que la familia se fue de vacaciones, escuché que alguien le gritaba a Mustafa que abriera la puerta del jardín. Al reconocer la voz, corrió a abrirla. Era su amante y compañera conspiradora Asmiye, una mujer bonita de pelo negro largo y ropa elegante. Sus manos siempre olían a jabón o a la comida que cocinaba para la familia, pero que nunca usó para acariciarme. Después de que Mustafa la dejó entrar, se tomaron de la mano y caminaron hacia el cobertizo de jardín donde él comenzó a besarla apasionadamente. Pero ella no estaba dispuesta a corresponderle.

"Mustafa, ¡detente! No vine aquí para besuqueos. Hay algo más importante de que tenemos que hablar. ¿No quieres saber lo que encontré? Me arriesgué para conseguir esta información para ti. Es una nota que encontré cuando limpiaba la oficina de Alim. Se olvidó de echarle llave a su escritorio. No podía creer lo que leí".

Mustafa cambió de parecer. Se puso serio y le preguntó.

"¿Qué dice la nota? Quiero saber más. ¿Lo compromete con los rebeldes? ¿Podemos deshacernos de él finalmente? Como sabes muy bien, ese hombre malvado es un traidor. Tiene que pagar por su traición. No es más que un perro apestoso, una cucaracha que debe ser aplastada".

Cuando escuché la palabra perro pensé que hablaba de

mí y comencé a ladrar con más fuerza para que me sacara de la jaula. Esto enfureció más a Mustafa. Se acercó a la jaula y me pinchó con un palo para callarme. Pero yo ladré aún más fuerte y le gruñí. Entonces, me gritó y me maldijo.

"¡Cállate, maldito perro sarnoso! Pronto desaparecerás como tu amo y no tendré que aguantar más tus berrinches. Ahora tenemos la prueba definitiva para deshacernos de tu dueño y de ti".

Asmiye le gritó cuando iba a traquetear la jaula y aguijonearme con el palo otra vez.

"Mustafa, ¡déjalo! ¡Basta! No ves que lo enfureces más. Sácalo de la jaula y dejará de ladrar. Vamos. ¿Sabes con qué persona importante debemos hablar de mi descubrimiento? Tenemos que decidir pronto".

Mustafa se sonrió y le respondió con mucha sorna.

"¡Qué mujer más tonta! Te preocupas demasiado. Yo sé con quien debo hablar sobre tu información. Ahora tenemos suficiente tiempo. La familia se ha ido de vacaciones. Se fueron de prisa esta tarde. Soraya me dijo que no sabía cuando regresarían".

Asmiye se quedó boquiabierta al escuchar lo que Mustafa le decía y quería saber más.

"¿Cómo es posible que no me dijeran nada de estas vacaciones? Acabo de regresar hoy de visitar a unos parientes en el pueblo de Bursa en mis dos días libres. ¡Algo pasa! Soraya es muy exigente. Ella me habría dejado instrucciones detalladas de lo que debía hacer en su ausencia. ¿Te dijo adónde se iban?"

"Ella solo mencionó que iban a visitar unos amigos en los pueblos costeros de Izmir para alejarse del bullicio y ajetreo de la ciudad", respondió Mustafa.

Asmiye todavía sospechaba que algo pasaba y siguió preguntando.

"¿Mencionó algún pueblo, amigos o familiares en particular que recuerdas?"

Mustafa no estaba seguro de todos los detalles de su conversación con Soraya, pero sí recordaba que estaba preocupada.

"No mencionó ningún pueblo o familia en particular, pero creo que pensaban ir a Urla. Eso sí. Se veía preocupada y molesta. Cuando le pregunté cuando regresarían, su respuesta fue muy vaga. Ella sólo me pidió que cuidara bien a Scoit. ¡Qué mala suerte tengo! Ahora me han dejado atrapado con este maldito y apestoso perro quien sabe por cuánto tiempo. Sólo ladra y evacúa todo el tiempo. Odio tener que recoger la caca de un perro. ¡Qué asco! Me dan ganas de vomitar. Ojalá pudiera abandonarlo en la calle y decirles que se escapó y nunca regresó".

Tan pronto me sacaron de la jaula, tenía el deseo de orinarlo, pero me fui corriendo a hacerlo cerca de los arbustos de mirlo. Luego, Mustafa explotó, primero gritándome y después lanzando una diatriba contra mi familia. Asmiye lo regañó y luego comenzó también un virulento ataque contra mi familia.

"Mustafa, no te quejes. Mi situación con los Sadik es peor que la tuya. Tengo que aguantar a unos mocosos todos los días. Siempre están lloriqueando cuando no se salen con la suya. El padre es un cretino y la madre una desalmada. Ella es la peor de todos. Siempre está vigilándome y nunca está satisfecha con lo que hago. Estoy harta y cansada de ella. Es una mujer desagradable. Trata a su perro mejor que a mí. Anhelo el día que pueda enfrentármele y decirle que es una miserable, UNA insufrible. Voy a gritarle y a escupirla. Mustafa, yo también tengo sentimientos. Ella no es mejor que yo porque sea más rica. ¿Me entiendes ahora?"

Yo no podía creer lo que oía. ¡Qué odio tan grande contra mi familia! ¡Cuánta mezquindad contra los niños! Acusarlos de mocosos malcriados cuando yo sé que son buenos y cariñosos.

KM, Izmir pronto.
Alp, tulipanes y liras.
Gracias a Alá,
el Compasivo, el
Misericordioso.
A. S.

CAPÍTULO IX
NOTA CRÍPTICA

Asmiye y Mustafa estaban acurrucados a pocos metros de mi jaula hablando de una nota mecanografiada que olía a los cigarrillos de Alim. Asmiye la había encontrado después de husmear en su escritorio. A pesar de que bajaron la voz, yo pude escuchar todo lo que dijeron. Asmiye mencionó que la nota estaba dirigida a un hombre con las iniciales KM. Mustafa se paseó de un lado a otro mientras la leyó varias veces en voz alta.

KM, Izmir pronto. Alp, tulipanes y liras. Gracias a Alá, el Compasivo, el Misericordioso. A. S.

Entonces, estalló en una risa malévola y luego le dijo a su amante qué descubrimiento tan importante había hecho. Era la evidencia que necesitaban para deshacerse de Alim.

"Asmiye, tu descubrimiento es maravilloso. Es la evidencia definitiva que buscábamos. KM es Kahil Mehmet, uno de sus líderes. Alp es quien entregará las liras en el parque en Izmir. A.S. se refiere a Alim Sadik. Como puedes ver, él es un sinvergüenza , un traidor. Tengo que avisar inmediatamente a mi jefe Yusuf".

Se rieron, se abrazaron y se besaron otra vez. Luego, se fueron a toda prisa dejando la puerta del jardín abierta de par en par.

CAPÍTULO X
¿DÓNDE ESTÁ MI FAMILIA?

Cuando vi que la puerta de jardín estaba abierta, comencé a aullar de alegría. ¡Qué suerte tenía! Ahora estaba libre y pude salir del jardín en busca de mi familia. Antes de aventurarme en el vecindario, me comí toda la comida de perro y bebí tanta agua como pude. Podía pasar mucho tiempo antes de que pudiera volver a comer. Una vez en la calle tranquila, fue difícil captar un solo olor con todos los deliciosos olores de comida que flotaban de sus ventanas. Primero fui a la casa de Fátima, una amiga de Soraya, cuya perra Luna conocía. Ladré fuerte y arañé la puerta, pero nunca se abrió. ¿También se había ido de la ciudad la familia de Luna? Estaba oscureciendo y decidí buscar a mi familia en la ciudad, siguiendo el olfato de mi hocico en la suave brisa de la noche.

Caminé por las aceras. Sabía lo suficiente cómo no pasar por delante de vehículos a alta velocidad. Como no podía leer las señales de caminar o detenerme, entonces decidí caminar por donde caminaban los humanos. Mientras me acercaba a la ciudad de Estambul, me acordé de haber pasado allí varios días en una tienda de mascotas cuando era un cachorrito. Olfateé muchos olores, pero apenas pude oler el de mi familia. Era cada vez más débil al mezclarse con muchos otros olores. Era muy frustrante pero no podía rendirme. Tenía sed y estaba muy cansado después de buscarlos por mucho tiempo. Oscurecía y necesitaba encontrar un lugar seguro para acostarme a dormir por la noche. Por fin, encontré uno en un parque pequeño. Me acurruqué debajo de un banco a pasar la noche. La hierba larga y fragante sirvió de cama suave. Me levanté el otro día con el estómago gruñéndome y continué buscándolos por todas partes. Después de caminar por muchas horas, por fin me detuve en otro parque pequeño a la puesta del sol. Por suerte para mí, la gente había dejado sobras de pollo de su comida en un bote de basura abierto. Agarré unos huesos de pollo para roer debajo de unos arbustos cuando escuché a una pareja angustiada que hablaba en voz baja.

"Demir, no podemos seguir viéndonos. Mi padre es un moralista furibundo que está muy orgulloso de su apellido. Siempre nos recuerda que su ascendencia se remonta al Imperio Otomano. Está al tanto de quienes son nuestras amistades y nos vigila como si fuera un halcón. El no está de acuerdo con tus ideas políticas y me desheredará si descubre que nos vemos. Nos ha advertido a mi hermana Asha y a mí que no deshonremos nunca el nombre de la familia o que nos involucremos con la oposición política. Nos ha dicho que habrá consecuencias graves si lo hacemos y seremos condenadas a vivir una vida miserable. Demir, ¿me entiendes ahora? Lo siento, pero es mejor que no nos veamos más".

Demir no podía creer lo que acababa de escuchar y le suplicó que no lo dejara.

"Jasmine, no. No puedes decir eso. Tal vez no

tenga el linaje, la ascendencia y la riqueza de tu padre, pero soy un hombre honrado y tengo orgullo también. Tal vez no esté de acuerdo con las ideas políticas de tu padre, pero me conoces mejor que a nadie. La familia es muy importante para mí y está por encima de todo. Yo, como mi jefe y amigo Alim, solo creemos en la justicia y la igualdad para todos. Jasmine, no me dejes. Eres mi vida, mi amor, mi todo".

Sentí pena por ellos. Estaban tan desconsolados. Quería decirles que no se separaran porque amar y ser amado te completa. El amor es lo más importante en la vida, pero ella se levantó lentamente y se fue llorando sin mirar hacia atrás. ¡Qué triste final!

CAPÍTULO XI
SUPERVIVENCIA

Dejé los arbustos donde descansaba y caminé hacia la fuente para saciar la sed que tenía. Pude oler a otros perros que se acercaban mientras lamía el agua. Fue entonces que pude ver dos machos y tres hembras en la jauría. El macho alfa que llamé Grandote orinaba en los árboles y bancos mientras se acercaba. No me moví y me mantuve firme mientras nos medíamos hocico a hocico. Luego, me rodeó, me olió el trasero y se fue. Lo seguí, pero me salió al paso la hembra alfa. Se me enfrentó. Me gruñó, curvó sus labios y me mostró agresiva sus colmillos. Era pequeña y podía dominarla sin mucho esfuerzo. Grandote se dio cuenta de lo que estaba pasando y chocó con ella, evitando así una pelea. Por primera vez, me sentí cohibido por mi buen aspecto. A los humanos les gusta mi sonrisa, pero los perros callejeros saben la reputación de los golden retrievers—somos en la mayoría dóciles y no nos gustan las peleas callejeras. Tal vez fue por eso que me aceptaron enseguida como parte de la jauría—Grandote sabía que yo no era una amenaza. Al anochecer, Grandote sacó la jauría del parque y pasamos horas buscando comida y un lugar para echarnos. Después de buscar comida en un bote de basura casi vacío, sin mucho éxito, encontramos por fin un lugar tranquilo alejado de la gente en un almacén abandonado. Me acurruqué a dormir en un cartón sucio. Me sentía horrible. Punzadas de hambre y pensamientos de mi familia me mantuvieron despierto casi toda la noche. No había comido nada por muchos días y cuando nos levantamos al amanecer tenía mucha hambre. Seguí a la jauría cuando empezó a caminar hacia la ciudad. Nos movimos de un lugar a otro olfateando el aroma de comida en el aire. Seguía teniendo retorcijones en el estómago de tanta hambre que tenía. Nos detuvimos al mediodía en un parque donde el delicioso olor de comida flotaba de uno de los contenedores grandes de plástico. Mientras nos acercamos al contenedor, pensaba cómo íbamos a abrirlo. Grandote sabía como hacerlo. Se lanzó con fuerza y volcó el contenedor con su poderoso cuerpo. La tapa voló cuando golpeó el suelo derramando varias bolsas de plástico con pedazos de carne, pizza, huesos de pollo, queso y algunas nueces. Se me hacía la boca agua. Quise coger una de ellas y salir corriendo, pero no podía hacerlo. Tenía que obedecer la ley de la jauría y esperar mi turno. Los primeros en comer fueron Grandote y la hembra alfa. Luego, cada uno de nosotros comió el resto de lo que quedaba. Cuando llegó mi turno, yo agarré una bolsa y salí corriendo con ella. La abrí con mis garras y colmillos afilados. Unos cuantos pedazos de carne y varios huesos de pollo se cayeron de la bolsa. Olían tan sabroso. Era un paraíso. Me sentí tan a gusto cuando empecé a comer la carne y triturar los huesos con mis poderosos colmillos. De pronto, dos hombres vestidos de uniforme, salieron corriendo de la nada hacia nosotros. Nos gritaban y tenían en las manos unas mallas y palos largos con un lazo de cuerda al final.

"¡Paren, paren de hacer tanto lío! ¡Aléjense perros

inmundos! Ya verán lo que les espera cuando los atrapemos. Irán derechito a la perrera a pudrirse".

Nos fuimos de allí corriendo tan rápido como pudimos, para alejarnos de estos hombres peligrosos, evitando el tráfico cuando cruzamos las calles, hasta que llegamos a un bosque aislado al norte de la ciudad, un lugar más seguro y tranquilo. El fuerte olor a perros y gatos estaba en el aire. Olfateé otros olores también—olores salvajes que no reconocía. Pero por ahora estábamos solos. Encontré un lugar cerca de unas rocas grandes para acurrucarme mientras los otros perros se fueron a lamer agua en un estanque cercano. Nos quedamos allí hasta el atardecer cuando la jauría comenzó a caminar hacia la ciudad. Me gustaba mucho estar con Grandote y ser parte de la jauría, pero se me partía el corazón por mi familia. Tal vez, solo tal vez, ellos ya habían regresado de sus vacacione. Pensar que pronto vería a Alí y Aceyla otra vez, me motivó a seguir adelante solo, incluso si tenía que volver a sufrir la crueldad de Mustafa. Me separé de ellos. Me volteé y miré a Grandote y a los otros cómo se alejaban a trompicones hacia la ciudad.

CAPÍTULO XII

DE VUELTA A CASA

Una suave brisa fresca soplaba cuando dejé a la jauría. Comencé a reconocer los olores de hacía mucho tiempo cuando viajé como cachorrito en la parte de atrás de la camioneta. Por fin, estaba en el camino correcto y necesitaba ganar tanto terreno como fuera posible antes de que anocheciera. Me detuve en otro bosque verde exuberante a lo largo de la costa donde pensé que podría encontrar algo para comer, pero no había nada. Sacié mi sed en un arroyuelo, me eché debajo de unos arbustos y me acurruqué por el resto de la noche. Cuando el sol me despertó al amanecer, mi estómago se retorcía y mi garganta estaba seca. Mientras caminaba hacia el arroyuelo, pude oler y oír un animal que estaba bebiendo. No se dio cuenta de que me acercaba ¡Un conejo! Se me hacía la boca agua. Tenía delante de mí una presa. Me agaché y me moví lenta y sigilosamente hacia él. Apreté su garganta y la matanza fue rápida. Me sentí mucho mejor después de devorarlo. Salí del bosque con más energía y seguí corriendo a lo largo de la costa pasando por pintorescos pueblos costeros llenos de gente y coches. Pensé detenerme en uno de los pueblos y mirar alrededor, pero decidí que no podía perder más tiempo precioso. Aceleré mi trote según me acercaba a mi casa. Estaba muy feliz porque pronto me reuniría con mi familia.

CAFÉ

CAPÍTULO XIII
CAFÉ PARAÍSO

Con el patio a la vista, pude escuchar a varias personas dentro de la casa hablando en voz alta, pero el olor de mi familia era bastante débil todavía y apenas podía olfatearlos. En cambio, el olor a licor, tabaco y droga era muy fuerte. Mientras corría hacia la casa, empecé a ladrar. Una vez allí, arañé la puerta de entrada esperando que mi familia saliera. Era Mustafa quien apareció y se puso a gritar.

"Miren quien está aquí. El perro sarnoso Scoit ha regresado. ¡Atrapémoslo! Vamos. Tenemos que deshacernos de él también".

Al escuchar la ira y odio en su voz, sabía que corría peligro y tenía que escapar. Corrí lo más rápido que pude zigzagueando y escondiéndome mientras me persiguieron en coche. Estaba cansado y temeroso cuando por fin me detuve en un pequeño Café en las afueras de la ciudad. No había nadie aquí excepto una señora mayor, la dueña, quien vino a rescatarme. Se me acercó y me preguntó tiernamente.

"Por qué estás sin aliento y temblando tanto? ¿Por qué estás tan asustado? ¿Alguien te quiere hacer daño? Ven, ven conmigo".

Me llevó a la trastienda del establecimiento y me dio agua para beber en un recipiente de plástico. De repente, unos hombres llegaron al Café gritando. Se me cayó el alma cuando reconocí sus voces—eran Mustafa y sus secuaces. El exigió hablar con el dueño y preguntó si alguien había visto un perro de tamaño mediano de color crema por aquí. Estaba temblando porque tenía miedo que me encontrara y me llevara de vuelta consigo. Después de tranquilizarme, ella me dijo que no hiciera ningún ruido y se fue a hablar con él.

"Me llamo Camille Moreau. Soy la dueña del Café Paraíso. ¿Quién es usted?"

"Soy Mustafa Kaya. Busco un perro que se llama Scoit. ¿Lo ha visto?"

"Le doy de comer sobras a unos cuantos perros que vienen por la noche, pero no he visto el que usted busca. ¿Es su perro?", preguntó ella.

La respuesta de Mustafa fue engañosa, una serie de mentiras.

"No. No es mío. Es de la familia Sadik con la cual trabajo de jardinero. Es un perro muy bueno. He disfrutado mucho cuidándolo desde que era un cachorrito. Se escapó anoche y su familia está muy preocupada. Temen que pudo haber sido robado o estropeado en la ciudad. Tengo que encontrarlo o pierdo mi trabajo. Me dijeron que podría estar por aquí. ¿Está usted segura que no lo ha visto?"

Camille lo miró de arriba abajo y le respondió con gran aplomo.

"Señor, no lo he visto. Le digo que no ha estado por aquí".

Mustafa no estaba todavía convencido. Le pidió su información de contacto y le ofreció su propia tarjeta de visita.

"Bueno, aquí tiene mi tarjeta con mi número de teléfono. Hay una recompensa para quien lo encuentre. No deje de llamarme si lo ve".

Camille le agradeció la tarjeta y le dijo que lo llamaría si su perro viniera a comer sobras.

"No se preocupe. Lo llamaré sin falta si se asoma por aquí".

Después de que Mustafa se marchó con sus matones, Camille regresó a la trastienda y me dio varias palmaditas en la cabeza y revisó mi collar.

"Veo que te llamas Scoit y que eres un perro bueno. Ese hombre era un grosero y un mentiroso. Sentí que tenía un motivo ulterior para encontrarte."

Camille era una señora muy amable. Moví la cola y lamí sus suaves manos que olían a especias. Unos días más tarde, la oí llamar a Mustafa por teléfono.

"¿Quién llama? ¿Con quién hablo?", contestó alguien al otro lado de la llamada.

"Soy Camille Moreau, la dueña del Café Paraíso. Por favor, ¿puedo hablar con el señor Mustafa Kaya? El me dijo que lo llamara si venía por aquí el perro que él busca".

"Sí señora. Por favor, espere un momentito. Voy a buscarlo. Le hablará en breve".

Ella esperó unos minutos y entonces preguntó otra vez con quien hablaba.

"Hablo con el señor Mustafa?"

"Sí. Habla con él mismo. ¿Qué quiere?"

"Señor Mustafa, tengo buenas noticias. El perro que usted busca vino anoche a comer unas sobras. ¿Todavía está interesado en llevárselo?"
"Sí, sí. ¿Está usted segura de que es nuestro perro?"

"Sí, estoy segura que es él. Tiene todas las características que usted me describió y el nombre en la chapa de identificación de su collar dice Scoit. Le di unas sobras y se quedó aquí toda la noche".

"Sí, es él. Su nombre es Scoit. Paso a recogerlo ahora mismo".

"No se moleste. Ya no está aquí. Lo acaba de recoger un distinguido señor mayor en una camioneta de color rojo".

"¿Usted sabe su nombre?" preguntó Mustafa.

"Sí. Me dijo que se llamaba Walid Saad. El perro lo reconoció enseguida. ¿Es él su amigo?"

"No. No conozco a nadie que se llame así. Si regresa con Scoit, no deje de llamarme".

"Desde luego, que lo llamaré. No cuelgue, por favor. Tengo algo más que preguntarle. ¿Puedo tener una recompensa por mi información?"

"¡Claro que no! ¡Qué pregunta más estúpida!" Después que Mustafa colgó el teléfono, ella comenzó a reírse. Estaba muy contenta porque pudo engañar al ogro de Mustafa.

"Scoit, no te preocupes. Ese bribón no te molestará más. Se tragó el anzuelo. Se creyó que te habías ido con ese hombre que inventé. Te cuidaré hasta que aparezca tu legítimo dueño".

Mi corazón estaba desgarrado porque no sabía que hacer. ¿Quedarme con ella o seguir buscando a mi familia? Después de unos días más de su bondad y sobras deliciosas, que Camille raspaba de los platos de sus clientes, mi corazón anhelaba a mi familia y tenía que encontrarla. Mi búsqueda comenzó de nuevo.

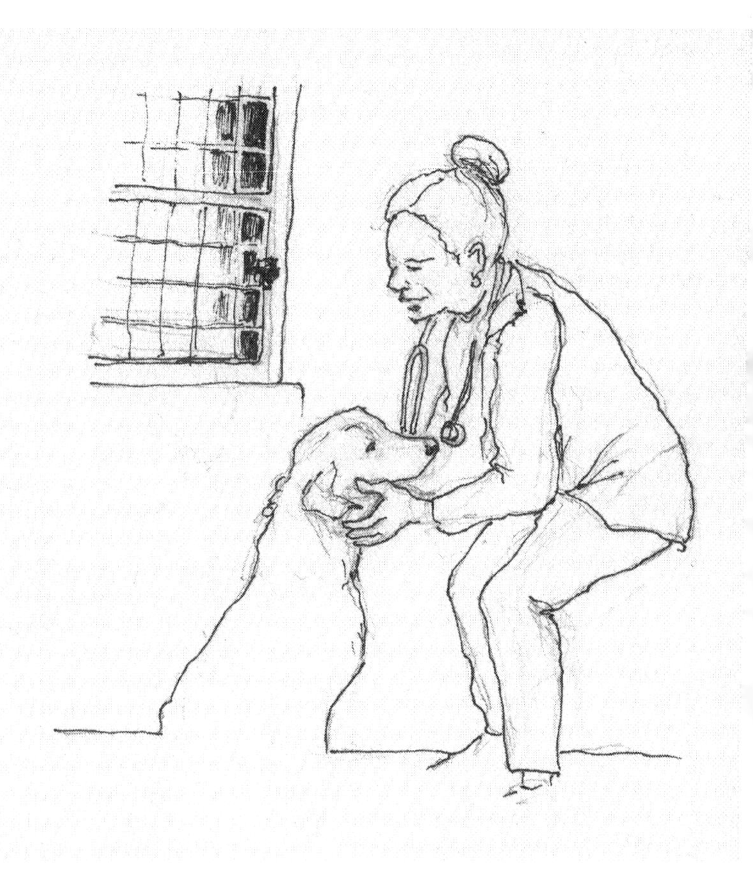

CAPÍTULO XIV

LA CLÍNICA KISIRKAYA

Regresé al parque donde había conocido a Grandote y su jauría. Cuando estaba a punto de echarme a descansar, escuché de pronto un fuerte ladrido que reconocí. Era Grandote con la jauría. Corrí a unirme con ellos mientras marcamos el suelo, movimos la cola y nos olimos el trasero. Hasta la hembra alfa me dio la bienvenida. Mientras deambulábamos por el parque buscando algo de comer, tres hombres se nos acercaron. Parecían amistosos. Uno de ellos nos tiró unas golosinas mientras los otros dos nos inyectaron mientras las comimos. Tan pronto me pincharon con la aguja, me sentí aturdido y no pude moverme. Sólo recuerdo que me metieron en una furgoneta con Grandote y el resto de la jauría. Cuando desperté, estaba en una pequeña jaula en un lugar ruidoso donde algunos perros ladraban sin cesar y otros jadeaban y gemían lastimosamente. Teníamos miedo y estábamos estresados porque no sabíamos dónde estábamos. Por suerte, varios de los voluntarios que trabajaban en esta clínica eran amables, sobre todo el doctor Ibrahim y su asistenta Asli. Ella me acariciaba a menudo para tranquilizarme y acostumbrarme a este sitio. Me sacaba al patio todos los días a jugar con los otros perros. Unas semanas después de mi llegada, el doctor Ibrahim vino a la perrera bastante molesto. Llamó a Asli a un lado y le susurró su preocupación.

"Tienes que quitarle a Scoit de inmediato la chapa de identificación que tiene en su collar. Nuestros enemigos son como perros sabuesos en nuestro rastro. Si lo encuentran aquí puede comprometernos y poner en peligro nuestra causa. Scoit pertenece al prominente banquero Alim Sadik, un aliado poderoso con el que tal vez no podamos contar más. Es muy posible que el hombre que encontraron anoche flotando boca abajo en el Bósforo, cerca del Puente Galata, sea él. No podemos arriesgarnos. Cambia el nombre de su chapa de identificación ahora mismo. Llámalo como quieras".

Cuando oí mencionar el nombre de Alim, me dio un vuelco el corazón de alegría. Me deslicé en la perrera ladrando y moviendo la cola. Alim venía a rescatarme y llevarme a casa. Pero pasaron los días y él no apareció. Estaba desolado y muy angustiado pensando en el paradero de mi familia. ¿Dónde estaba Alim y el resto de la familia? ¿Qué les habría pasado? ¿Mustafa y su amante Asmiye les habrían hecho daño? Ojalá que no. Estuve en la clínica varios meses. Por fin, en una mañana lluviosa, Asli me puso la correa y me llevó a la camioneta.

"Te extrañaré", dijo ella frotando suavemente su cabeza contra la mía. Sus mejillas estaban mojadas cuando me llevó en una perrera y me puso en la camioneta. Traté de secar sus lágrimas saladas con mi lengua haciéndola reír. Había otros tres golden retrievers a mi lado, pero ¿dónde estaba Grandote? ¡Habíamos dejado a Grandote atrás! Le ladré a Asli para que trajera a mi amigo. Pero ella ya no se reía; se alejó con paso decidido sin mirar hacia atrás ni una sola vez. Creo que este era un trabajo muy difícil para ella. Manejamos por una hora y pico en la camioneta a un refugio que estaba a la sombra de unos árboles con olor a peces de un lago cercano. Todas las mañanas un hombre practicó con nosotros los mandatos de siéntate, quieto y ven. Me gustaba cuando me decía que lo hacía bien y me daba un trozo raro de comida de perro. Era la misma comida de perro que comía del tazón, pero sabía mejor cuando la comía de sus manos. Me quedé en este refugio en el campo por varias semanas. La perrera no era tan ruidosa como la primera y podía ver a través de una de las paredes en lugar de una jaula de metal. Todas las tardes nos sacaban a un patio con muy poca hierba dónde olíamos traseros y jugábamos a "Puedo correr más rápido que tú". Luego, una fría mañana otoñal nos pusieron en jaulas y nos subieron a una furgoneta grande y nos llevaron a otro lugar.

CAPÍTULO XV
LOS ESTADOS UNIDOS

La sala de carga del aeropuerto Atatürk era un lugar ruidoso y muy concurrido. Escuché el rugido de máquinas de aire y vi a humanos pasar, de un lado para otro, llevando perros pequeños en jaulas pequeñas. Una amable dama, llevaba puesta una camiseta diseñada con un golden retriever, se nos acercó. Nos habló con amor y nos explicó que necesitábamos entrar en diferentes jaulas. Me ofreció una golosina para que dejara la mía y entrara en otra con una acogedora almohadilla, pero que tenía el olor de un perro sudoroso y nervioso. Yo también estaba nervioso y muy ansioso con todo lo que estaban pasando.

Sin embargo, sentía que la dama que tenía la camiseta con el golden retriever me mantendría a salvo. Después me enteré que ella trabajaba para Adopt a Golden Retriever, una organización sin fines de lucro en Atlanta, Georgia, que ha rescatado cientos de golden retrievers de las calles de Estambul. Nos querían y sentían pena por nosotros porque nuestro temperamento dócil afecta nuestra sobrevivencia. Somos peleadores flojos en las calles—si incluso decidimos contraatacar. Ella encabezaba este vuelo con la ayuda de otros dedicados voluntarios. Nos alentaron y consolaron diciéndonos "shhh", para que no siguiéramos lloriqueando y ladrando.

"¡Cálmense! ¡Cálmense! Todo saldrá bien. Pronto saldrán rumbo a los Estados Unidos. Les estaré esperando cuando lleguen. También estarán allí esperando con alegría sus familias permanentes para darles la bienvenida y recibirlos en sus hogares con las manos abiertas y el corazón lleno de amor. Saldrán de aquí tan pronto tenga la documentación en orden".

Mientras ella se preparaba para subirnos al avión de carga, escuchamos muchos gritos en la puerta de entrada al hangar. Un hombre siguió gritando.

"¡Detengan, detengan el vuelo! Hay un perro aquí que pertenece a mi familia".

Eran Mustafa y sus matones. Se acercaron a un guardia de seguridad demandando que los dejaran hablar con la persona a cargo del vuelo. Después de comprobar las credenciales de Mustafa, el guardia le dejó pasar y le señaló la dama que nos estaba ayudando.

"Señor, puede pasar ahora. Debe hablar con la dama que tiene la libreta grande de color azul. Está comprobando los nombres de los perros en el vuelo para los Estados Unidos".

Mustafa corrió hacia a ella y le habló en una forma abrupta y áspera.

"Tengo que hablar con usted ahora mismo. Busco un perro que está aquí".

Ella se disculpó por un momento para contestar una llamada telefónica. Aparentemente la persona escuchó, al otro lado de la línea, a Mustafa presionándola.

"Sí, no te preocupes. Todo va bien. Gracias".

Entonces, ella se volteó y le habló a Mustafa muy segura de sí misma.

"Disculpe, hablaba con mi padre. Solo quería

saber cómo iba todo. Bueno, ¿cómo puedo ayudarle?"

"Soy Mustafa. Trabajo como jardinero para el conocido banquero Alim Sadik. Vine a recoger su perro. Debe estar en su lista".

Entonces, dijo él, pinchándole sus hombros, "se parece al perro que tiene en su camiseta".

"Cómo se llama el perro?" preguntó ella.

"Scoit, Scoit" respondió Mustafa muy entusiasmado pensando que por fin me había encontrado.

Ella le pidió que tuviera paciencia mientras revisaba el nombre de los perros en su lista para el vuelo con las de los refugios.

"Lo siento. No está en las listas que recibí de los refugios dónde fueron examinados y entrenados para su adopción".

Mustafa no podía creer lo que le dijo y enseguida levantó su voz.

"No es verdad. Le repito lo que me dijeron en la Clínica Kisirkaya. Scoit está en este vuelo. Revise la lista de nuevo. La familia se siente miserable, especialmente los niños. Lo extrañan y será un gran consuelo para ellos si pudiera regresar con su perro".

"Hay un perro con dos nombres en una lista que nos mandaron a última hora, pero no creo que sea el perro que usted busca" afirmó ella.

Mustafa no aceptaba un no por respuesta y siguió fastidiándola.

"Scoit tiene que estar en este vuelo. Tiene que estar aquí".

Le molestaba el comportamiento de Mustafa, pero ella mantuvo su aplomo y muy calmada le explicó el procedimiento que tenía que seguir para incluir estos perros en el vuelo para los Estados Unidos.

"Lo siento. Debe haber un error. Nosotros no recibimos los perros directamente de la Clínica Kisiskaya. Los mandan a refugios en el campo. Cada uno de ellos es examinado y aprobado para su adopción antes de que nos lo envíen a nosotros para el vuelo de rescate a los Estados Unidos. Usted tiene que buscar en cuál refugio en el campo pudiera haber estado. Le aseguro que no está aquí, pero le invito a mirar alrededor.

A Mustafa no le convenció su explicación y demandó de inmediato ver el perro con dos nombres.

"Quiero ver el perro con los dos nombres ahora mismo. ¿Dónde está?"

Ella lo llevó a la última jaula alineada para el vuelo.

"Desde luego. Venga conmigo. El perro está al final de las jaulas ensambladas, listo para partir. Sus nombres son Cemil y Zeka. No creo que sea su perro, pero aquí lo tiene. ¿Es éste el perro que usted busca?"

"Claro que no. Scoit es mucho más grande y tiene otro color", dijo Mustafa.

Entonces, ella lo miró fijamente y le repitió, subiendo su tono de voz, que el perro que él buscaba podría estar en otro sitio.

"Le repito definitivamente que su perro no está aquí. Espero que lo pueda encontrar pronto y llevarlo a su familia angustiada".

La cara de Mustafa se puso roja como la remolacha y las venas de su cuello palpitaban con ira al escuchar esta firme explicación.

"¿Qué se creen? Yo no soy ningún tonto", pensó. "Yo sé que está aquí. Lo están protegiendo. Me vuelven a mentir, pero lo encontraré más tarde o más temprano".

Después que él se marchó, la amable dama se acercó a mi jaula un poco más relajada.

"¡Qué maravilla! Scoit, por poco nos descubren. ¡Qué bueno que Asli me alertó a tiempo! Gracias a Dios que ya se fue ese hombre mentiroso y vengativo. Nunca te encontrará. Pronto saldrás de aquí".

Por fin, me sentí fuera de peligro cuando nos pusieron en el avión y la puerta se cerró detrás de nosotros. Poco después, sentí una gran energía que me empujó hacia el fondo de la jaula y el rugido más grande de cualquier animal que había escuchado. Luego, todo se volvió silencioso y pude relajarme un poco en la oscuridad en el área de carga del avión. Varios perros continuaron ladrando, gimiendo y lloriqueando, pero a medida que el aire se enfriaba, incluso ellos se tranquilizaron. Yo comencé a pensar sobre todo lo que me había pasado cuando me separaron de mi querida madre y mis hermanitos en Sirince y después me compró la familia Sadik. Yo los quería a todos ellos, pero en particular a sus cariñosos niños. Creía que me había establecido con ellos para siempre, pero de repente mi vida cambió y se convirtió en una pesadilla. Tuve que esconderme del matón Mustafa y sobrevivir como un perro callejero en las calles de Estambul hasta que me recogieron y me llevaron a la Clínica Kisirkaya. Me sobrecogió el dolor cuando escuché el rumor de la muerte de Alim y los largos, largos días cuando mi familia nunca vino a rescatarme.

Ahora me llevaban a un país muy lejos de donde nací. Esperaba encontrar a una familia que amar y que me amara. El viaje fue muy largo y estresante con una escala en un lugar que se llama Luxembourg. Aquí nos sacaron del avión y nos llevaron a un patio con una cerca donde nos dieron de comer, de beber y caminamos con la correa puesta. Después de un rato, nos metieron en nuestras jaulas individuales y nos regresaron al avión para nuestro destino final. Me dormí y perdí la noción del tiempo hasta que aterrizamos en los Estados Unidos en el aeropuerto de Atlanta.

Sacaron del avión mi jaula y la pusieron con otras, en una camioneta que nos llevó a un edificio grande. Por fin, alguien rodó mi jaula a un salón grande con cómodos sofás y sillas que me recordaron la casa de los Sadik. Había gente de pie de todos los tamaños por todas partes que aplaudían con exuberancia mientras nos llevaban a la terminal donde las familias habían estado esperando por mucho tiempo. Muchos de ellos tenían las mejillas mojadas como Asli y yo quería lamerlas, pero nadie me sacó de mi a jaula.

Reconocí a la dama de la camiseta, con un golden retriever, que me había salvado de Mustafa en el aeropuerto de Estambul. También había otras personas muy dedicadas que trabajaban para Adopt a Golden Retriever Atlanta. Luego supe que yo era uno de los cientos de golden retrievers que habían traído a Atlanta para ser adoptados. Mientras miraba a toda esta gente amable y sonriente a mi alrededor, me puse a pensar cómo mi vida no había tenido suerte hasta ahora, pero tal vez, solo tal vez, mi suerte estaba cambiando.

CAPÍTULO XVI
ANSIEDAD

Desafortunadamente, mi suerte aún no había cambiado. Se me cayeron los ánimos cuando me di cuenta que la última familia se había ido y no había nadie esperándome. Yo no fui el único. Escuché a otros tres golden retrievers gimiendo de tristeza. La dama de la camiseta y otros dos voluntarios nos sacaron al aire cálido y húmedo del atardecer y nos montaron otra vez en una camioneta. Esta vez nos llevaron a un refugio dónde los perros permanecían por un tiempo hasta ser transportados a otras ciudades para su adopción. Mi hogar por ahora era una jaula espaciosa con una pelota para golpear y algo delicioso que masticar. Yo no lo llamaría un hueso de perro, pero era duro y me ayudó a aliviar mi ansiedad.

Después de unos días, sí, otra jaula y todavía otra camioneta. Esta vez fue un viaje largo al pueblo de Grand Rapids, Michigan. No me quejé y me entretuve masticando un extraño hueso de perro para pasar el tiempo. Cuando llegamos a Michigan, los dedicados voluntarios rescatistas de Great Lakes Golden Retriever Rescue estaban tratando de encontrar familias adecuadas para perros como yo. Resultó que mi nueva familia adoptiva vivía en el pintoresco pueblito de Charlevoix en Michigan. No sé, pero cada vez que alguien mencionó que yo iba para "Charlevoix," se abrazaban, titiritaban y exclamaban "¡Oh!, hace tanto frío y nieva mucho allí".

Mi nueva familia adoptiva era amable, pero ellos ya tenían otros dos golden retrievers y estaban muy ocupados. Después de unos cuantos meses con ellos, me llevaron a Petoskey, un pueblo no muy lejos al norte, a conocer a otra familia que había solicitado adoptar un golden retriever.

Recuerdo que conocí por primera vez a estos humanos una hermosa tarde de septiembre. Cuando me sacaron de la jaula, vi algo extraño. Hojas rojas y amarillas, y verdes que cayeron al suelo cuando el viento sopló. Perseguí algunas, haciendo reír a mi familia adoptiva y a los nuevos humanos.

Ellos parecían amistosos, pero yo todavía estaba receloso. Casi todos los golden retrievers que vinieron conmigo de Turquía ya habían sido adoptados, pero yo todavía seguía rebotando de un lugar a otro. Cuando estuve con mi familia adoptiva en Charlevoix, vi mi reflejo en un espejo y me di cuenta que tal vez estaba demasiado flaco y desaliñado para que alguien se fijara en mí. Esperaba que todo saliera bien en esta reunión, pero no fue así. Estaba tan nervioso que cometí lo imperdonable. Cuando me dejaron entrar en la casa por primera vez, fui enseguida a una alfombra suave que había sido tejida a mano y evacué en ella. No solo la llamaban una alfombra, sino que la consideraban una reliquia de familia muy apreciada. Lo que había hecho era tan feo que intercambiaron palabras en voz alta que me dieron miedo. Yo dudaba que considerarían adoptarme en absoluto. Mi familia adoptiva temporera abogó por mí.

"Scoit tiene mucho potencial. Él acaba de pasar por mucho. Sólo necesita tiempo para adaptarse a su nuevo entorno. Él es inteligente y ha aprendido mucho en el poco tiempo que ha estado con nosotros".

Hubo un largo silencio. Entendía la preocupación de todos después de ver mi comportamiento atroz. ¿Cómo podían confiar en mi después de lo que había hecho? ¿Cómo podían confiar en un perro callejero que corrió con una jauría y no tenía modales? Quería decirles que a pesar de todo lo que me había pasado y había hecho, yo soy un perro bueno y leal. Yo sólo quería una segunda oportunidad para demostrar que era cariñoso y de confianza. Estaba muy nervioso y estresado a la espera de su decisión.

CAPÍTULO XVII

DECISIÓN Y UN NUEVO NOMBRE

Anhelaba quedarme con estos humanos. Sentía que eran una familia amorosa y cariñosa en la forma de hablar y tocarme. La hija adulta, quien tenía tres perros y vivía al lado en un bonito camino rural, se sentó en el suelo y me abrazó por el cuello.

"Papá, Scoit es el perro idóneo para ti y mamá. Es inteligente. Aprenderá pronto y verán que se portará bien. Sólo necesita un poco de entrenamiento y cariño".

Yo le devolví el favor poniendo la cabeza en su regazo y lamiendo sus manos. Su hermano mayor estaba allí también y como buen abogado defendió mi caso.

"Parece ser un perro dócil y se adaptará a vuestro estilo de vida. No creo que sea un problema. Es un perro bueno. Deben adoptarlo".

Después intervino su esposa, con una voz suave y amorosa.

"Cariño, me recuerda a Comet, el último perro que tuvimos. El también es manso y cariñoso. Debemos darle otra oportunidad. Adoptémoslo".

Estaba feliz escuchando todas las cosas lindas que decían de mí, pero esperaba con ansiedad la decisión del alfa de la familia. Por fin, él habló.

"Scoit se ha portado muy mal hoy con su comportamiento, pero lo que ha hecho es fácil de corregir. Está asustado. Es un perro noble que muestra las características de su raza: curiosidad, inteligencia, afecto y lealtad. Sin embargo, creo que por ahora es mejor acogerlo solo por un tiempo y ver si logra estar a la altura de su potencial".

Estaba eufórico y preocupado. Pensé por un momento en lo que dijo. Con tantos altibajos en mi vida, no podía dejar que su decisión me deprimiera. Tenía que superarla y aprovecharla hasta el máximo. Meneé la cola y corrí en círculos mostrando mi alegría. Pero decidí en el último momento, no lamer la cara del alfa porque sabía que a algunos humanos les molesta mi lengua húmeda. Le agradecía su magnánima decisión de no rechazarme tajantemente. Aunque se llama Gabriel, de ahora en adelante lo llamaré Sidi, mi señor, por no abandonarme. Me daba otra oportunidad y no podía echarla a perder. Tenía que demonstrar que era digno de su confianza.

Después de que la familia adoptiva regresó a Charlevoix, mi nueva familia comenzó a hablar de un nuevo nombre para mí. Mencionaron los nombres Habib, Aslan, Cody, Chance y Vagabundo. Por fin, se decidieron por el nombre de Chance.

CAPÍTULO XVIII

LA FAMILIA ALBA

Gabriel y Joy, una pareja amable de jubilados, es mi nueva familia. Ellos viven en una casa de una planta en las afueras del pueblo no muy lejos de sus dos hijos mayores. Desde el primer momento que los conocí, me sentí muy a gusto con ellos. Estoy muy feliz que la organización Great Lakes Golden Retriever Rescue aprobó que me adoptaran, aunque fuera de manera provisional. Ellos me quieren y me ayudan a adaptarme a una nueva forma de vida con ellos. Me encanta mi nueva casa. Tiene un gran patio arbolado por donde puedo correr a mis anchas. También, muy diferente a como vivía en Turquía, puedo vivir con ellos en casa. Duermo de noche en su alcoba o detrás de la puerta de entrada para protegerlos. Gabriel es un profesor jubilado, reflexivo y digno que todavía se mantiene activo en el mundo académico y en la comunidad. Joy, una maestra jubilada de la escuela secundaria, es una persona sensible, humana y dulce que siempre está dispuesta a ayudar a cualquiera en cualquier momento. ¡Qué alegría tenerlos como mi nueva familia!

CAPÍTULO XIX

APRENDIZAJE Y PREOCUPACIÓN

Mi aprendizaje comenzó enseguida. Me matricularon en una clase de entrenamiento que se enseñaba en un pueblito cercano. Me preocupaba viajar suelto en un automóvil. Había pasado la mayor parte de mi vida encerrado en un jardín amurallado o como un perro callejero. Las pocas veces que viajé en coche o en una camioneta en Turquía me pusieron en una jaula y me traía malas memorias. También no sabía que esperar de la clase. ¿Qué pasaría si no lo hacía bien? Llegamos a tiempo a la primera clase que enseñaban en el gimnasio de una escuela primaria. Me encantó ver a tanta gente con sus perros. La clase comenzó con cada dueño/a caminando a su perro/a en un círculo. La instructora quería observar nuestro comportamiento y cómo cada dueño controlaba a su perro/a. Después, vino un período en que nos socializamos sin correa. Caminamos de un lado a otro saludándonos hocico a hocico y oliéndonos el trasero. Algunos de los perros más pequeños se echaron boca arriba agitando sus patas en el aire para que los perros más grandes no los molestaran. La mayoría de nosotros nos comportamos bien, excepto un perrazo que tuvo que separarse por su agresividad y una cocker spaniel que se escondió debajo de la silla de su amo. Luego, la instructora le pidió a cada uno de los dueños/as que escogiera a un compañero/a y a su perro/a para el siguiente ejercicio. Me emparejaron con la linda, pero tímida cocker spaniel que tuvieron que tentarla con una golosina para que se uniera a la clase.

El resto de la clase consistió en aprender mandatos básicos. Yo estaba confundido. Las palabras que escuché para los mandatos eran diferentes a las que había aprendido en Turquía. Al principio no sabía que hacer. Tropecé con las piernas de Sidi porque nunca me enseñaron a caminar despacio al lado de una persona. Presté atención y después de unas cuantas repeticiones y correcciones aprendí lo que tenía que hacer. La instructora, quien había sido entrenadora de perros en el ejército, era muy exigente. Les dijo a los dueños que tenían que ser consistente en el entrenamiento de nosotros.

Ella repitió varias veces que el éxito de cada perro dependía en continuar con rigor el entrenamiento en casa. Una noche, antes de irnos, escuché a la instructora decirle al dueño del perro agresivo que viniera a la clase más temprano para un entrenamiento individual. También le recordó que trajera el rociador de manzana amarga. Me gusta comer manzanas, pero odio el rociador amargo. Nunca me han rociado con él, pero sé que huele horrible y te da náusea.

Durante las ocho semanas siguientes, nos reunimos una vez por semana. Me gustaron todas las clases, pero en particular la que tuvimos una noche de luna llena. La instructora le pidió a cada dueño/a que sentara su perro/a sin la correa y se alejara. La mayoría de los perros incluyéndome a mí y a la cocker spaniel no obedecimos y comenzamos a aullar mientras corríamos por el gimnasio. La instructora despidió la clase cuando más perros se unieron al coro de aullidos. Ella comentó que nunca había visto algo semejante en todos sus años de entrenadora de perros. Nos dijo que la luna llena había despertado a los lobos en nosotros. Tenía razón. Yo había aullado a la luna muchas veces antes mientras corría con Grandote y su jauría.

CAPÍTULO XX
AMOR FIRME

Sidi era tan exigente como la instructora. Siguió rigurosamente sus instrucciones. Me las repetía casi siempre en inglés, pero cuando metía la pata me regañó a veces en español. Yo no sabía turco, español o inglés así que me concentré en el sonido de sus palabras, su tono de su voz, sus gestos y cómo me tocó. Los mandatos de sentarme y quedarme quieto fueron difíciles. Me sentaba a su lado izquierdo y al mandato "junto" tenía que levantarme y caminar a su lado a un mismo paso. Cuando se detenía, tenía que detenerme a su lado. Si lo hacía bien, me decía "buen perro," me daba una palmadita en la cabeza y me ofrecí una golosina. Repetimos este ejercicio muchas veces hasta que lo hice bien. Me regañaba cuando me distraía y halaba la correa o caminaba muy rápido. Este ejercicio era muy difícil porque mi instinto natural fue seguirlo, pero no podía hacerlo. El ejercicio fue aún más difícil cuando se alargó el tiempo de espera. Tenía que ser paciente. Era difícil, pero aprecié su aprobación cuando lo hice a las mil maravillas.

"¡Vaya, Chance! ¡Bien hecho! Eres un campeón".

Luego vino el entrenamiento de la cerca eléctrica enterrada. Al principio no sabía de que hablaba, pero pronto aprendí de qué se trataba. Me sacó al patio y me puso un collar eléctrico. Cuando nos acercamos a la cerca, él repitió "Cuidado. Cuidado. Duele".

Cada vez que nos acercamos a la cerca, sentí la descarga eléctrica y retrocedí. Aprendí que la palabra "cuidado" significaba, "¡peligro!" y que estaba a punto de recibir una sacudida eléctrica. Pero un día un deseo fuerte se apoderó de mí. Perseguí un ciervo y crucé la cerca eléctrica con graves consecuencias. Una descarga eléctrica sacudió todo mi cuerpo. Sin embargo, no pude contenerme y continué la persecución hasta el patio contiguo dónde escuché una voz familiar que me llamó.

"Chance, Chance, ven. ¿Qué haces fuera del patio?"

Reconocí la voz de la hija de mi familia. Ella estaba enojada. Me regaño cuando me acerqué a ella moviendo alegre la cola.

"Chance, eres un perro travieso, ¿Qué haces aquí? Deberías estar en tu patio. Papá te va a castigar por desobediente".

Me puso la correa y llamó a su padre en el celular.

"Papá, Chance se salió del patio. Por favor, ven a recogerlo".

"Bien. Ya voy para allá ahora mismo", dijo él.

Cuando llegó a recogerme, me regañó severamente. Me agarró por el cuello, me miró con intensidad a los ojos y me dijo.

"Chance, eres un perro malo. Debo confiar en ti. ¡No lo eches a perder! Espero que no suceda otra vez".

Me sentí horrible. No pude sostener su mirada penetrante porque lo había decepcionado. ¡Qué tonto soy! Me equivoqué otra vez. Me disculpé bajando la cabeza y evitando el contacto visual. Entonces, decidí lo que tenía que hacer. Me eché boca arriba. Mostré sumisamente la barriga e hice contacto visual con mis mejores ojos de cachorrillo inocente. Aprendí de este incidente no seguir mis instintos naturales y usar mejor juicio la próxima vez. Necesitaba recuperar su confianza de nuevo. Antes de cruzar la cerca escondida de regreso a casa, me quitó el collar eléctrico y repitió.

"Chance, te perdono, pero no lo hagas otra vez. Debo poder confiar en ti".

Me sentí bien al escuchar su perdón, pero me di cuenta por el tono de su voz que no podía meter la pata otra vez. Sidi me dejó en el patio dónde disfruté de los numerosos olores en el aire. Pero una vez más, la tentación llegó a través de la suave brisa del atardecer cuando olí el aroma de una cierva más allá de la cerca eléctrica. Quería perseguirla, pero sabía que no era prudente hacerlo. Había aprendido una lección dolorosa y no quería decepcionar a Sidi otra vez.

Mi nueva familia significaba el mundo para mí.

Estaba muy agradecido de su cariño y tan preocupado de no cometer otro estúpido error, que dejé de ladrar. Como en, nunca ladrar. No sabía cómo reaccionarían si lo hacía. Recuerdo cómo Mustafa me castigó, gritándome y aún pinchándome con un palo cada vez que ladré. Sabía que Sidi nunca me castigaría así, pero, ¿podría todavía moverme a otra casa?

CAPÍTULO XXI
UNA VISITA A LA VETERINARIA

Mi familia estaba muy preocupada con mi silencio porque pensaron que algo malo me pasaba. Sidi le contó a Joy su preocupación.

"No he oído ladrar a Chance desde que ha estado con nosotros. ¿Tú lo has oído ladrar?"

"No. Sólo gime cuando quiere algo y emite un ruidito raro", le contestó ella.

Sidi estaba furioso porque pensaba que mi antiguo dueño pudo haber me cortado las cuerdas vocales.

"Es algo despreciable cortarle las cuerdas vocales a un animal indefenso, pero algunas personas sin escrúpulos lo hacen para su conveniencia. Son personas egoístas que por cualquiera razón no quieren escuchar un perro ladrar. Lo llevo al veterinario el miércoles para saber por qué no ladra".

Sidi me llevó a una veterinaria en las afueras del pueblo. Nos sentamos en el salón de espera que estaba bien alumbrado con ventanas grandes y plantas imponentes. Vi cómo la veterinaria de unos treinta y tantos años, con él mismo color de mi pelambre, entró en el salón con su perro Weimaraner a su lado. "Toma" le ordenó y señaló a una mujer canosa que estaba sentada con un gato maullando en su jaula. El elegante perro trotó y dejó caer delante de ella una bolsa de golosinas y luego regresó al lado de la veterinaria.

"¡Oh Dios!", dijo la mujer. "Nunca había visto algo así".

La veterinaria nos llevó a un pequeño salón que me recordó el primer veterinario con su mano enguantada. ¡Oh no, no otra vez! Sidi le contó que yo era un perro callejero que fui encontrado en las calles en Turquía. Le mencionó cómo yo nunca ladraba y entonces le preguntó, "¿piensa que es posible que le hayan cortado a Chance las cuerdas vocales?

La veterinaria sacó de su bolsillo una luz y me examinó la garganta y de inmediato pronunció que no había nada malo con mis cuerdas vocales.

"No hay ningún problema con sus cuerdas vocales. Chance es un perro noble y cariñoso. Sólo necesita tener un poco de confianza y aumentar de peso. Está muy flaco y necesita ir a la peluquería canina también. No se preocupe por qué no ladra. Es muy posible que esté adaptándose a su nuevo entorno. Debe darle más tiempo. Algunos perros no ladran".

Lo que ella y mi familia no sabían era cómo Mustafa me castigó cruelmente cuando ladraba. La veterinaria me hizo un chequeo físico—y ¡qué alivio, no guante!

"Por cierto", dijo cambiando la mirada de mi
hacia Sidi.

"Chance todavía tiene el microchip de Turquía con su nombre anterior y con el nombre de su antiguo dueño. Si no le importa, no hay que quitárselo. Le ponemos otro con su nuevo nombre y a usted cómo su dueño."

Entonces, ella le mencionó que tenía un problema dental.

"También tendrá que tratarle un colmillo inferior que está partido. El nervio está expuesto y debe dolerle mucho, pero él no sabe cómo decírselo. Tal vez por eso lloriquea y gime. Tenemos que extraérselo o hacerle un tratamiento de conducto radicular. Muchos de los perros rescatados de Turquía se les rompen los dientes cuando comen cualquiera sobra que encuentran o pelean con otros perros para sobrevivir. Si decide extraerle el colmillo, tiene que pasar la noche en la clínica o traerlo mañana bien temprano. El conducto radicular es bastante caro y no lo hacemos aquí. Tendrá que llevarlo a otro veterinario".

Decidieron que ella me extraería el colmillo. Estoy un poco confuso que ocurrió después. Solo recuerdo que la veterinaria me dio algo a inhalar y de pronto me quedé aturdido como cuándo me inyectaron en el parque y me llevaron a la Clínica Kisirkaya. —ahora sin dolor, sólo un gran agujero en el lado izquierdo de la boca que era divertido explorar con mi lengua. Me puse muy contento cuando mi familia vino a recogerme. La veterinaria le dio a Sidi mi enorme colmillo extraído como recuerdo y las instrucciones a seguir para mi tratamiento.

CAPÍTULO XXII

OBI-WAN, TAI CHI Y FÚTBOL

Desde que la veterinaria le dijo a Sidi que no había ningún problema con mis cuerdas vocales— que era cuestión de tiempo antes de que comenzara a ladrar—, él me animó a ladrar y yo estaba feliz en complacerlo. Me sentí liberado de ladrar sin tener miedo a ser castigado. Ahora podía ladrar a gusto a pavos, ardillas, conejos y ciervos. De vez en cuando Sidi me regañó cuando perseguí a los conejos debajo de la terraza de la casa y salía de allí hecho una bola de churre. También podía ladrar para alertar y proteger a mi familia y para comunicarme con mi caro amigo Obi-Wan, quien vivía en la casa de al lado con la hija de Sidi. Obi-Wan creció conmigo después de que lo trajeron de Port Huron, Michigan. Nos saludábamos e intercambiábamos ladridos amistosos todos los días. Él es un perro joven, fuerte y muy vivaz, pero me respeta como mayor. Ambos sabemos quien es el jefe. Nos hubiera gustado jugar más a menudo, pero el dolor potencial de la cerca eléctrica nos detenía. Los dos sabíamos que sería doloroso cruzarla. Me gusta estar al aire libre olfateando todos los olores y divirtiéndome, pero más que nada me gusta estar con mi familia, especialmente con Sidi, a quien seguía por todas partes. El pensaba que Sombra habría sido otro buen nombre para mí también. Siempre activo, me mantenía en constante marcha. Solía verlo practicar Tai Chi todas las mañanas en todo tipo de clima, pero no cuando llovía. Me gustaba echarme en el suelo a mirarlo cuando hacía ejercicios de calentamiento y después practicaba una serie de movimientos físicos, lentos, fluidos y elegantes de Qi-Gong. Me dijo que los movimientos le calmaban y le ayudaban con su meditación y bienestar. Otras veces, lo seguí cuando caminaba de un lado a otro, hacia adelante y hacia atrás, practicando un ejercicio que él llamaba "Caminata del dragón" que según él le ayudan con el equilibrio. Pero a mí me gustaba más cuando jugaba al fútbol con él y su nieta. Me traía recuerdos felices de Alí cuando jugué al fútbol con él en Turquía. Todavía les extraño mucho a él y a su hermanita Aceyla. El fútbol es el deporte favorito de Sidi. Fue un jugador y entrenador en su juventud y ahora enseña a su nieta los fundamentos del fútbol. El fue tan estricto con ella cómo lo fue conmigo en la clase de obediencia. El quería que ella aprendiera bien atrapar, driblear y pasar y patear el balón con ambos pies. Yo siempre me divertí mucho ladrando y corriendo tras el balón cuando se lo pasaron uno al otro o lo patearon a la portería.

CAPÍTULO XXIII
EL 4 DE JULIO

Mi primer 4 de julio en Los Estados Unidos fue muy divertido e interesante. Mi familia anticipaba con entusiasmo la celebración de este importante evento en la historia del país. Me llevaron al centro a presenciar un desfile, pero les preocupaba que me asustaría con la multitud de gente que se rozaría conmigo, la música estridente y el fuerte ruido de las sirenas de los camiones de los bomberos. Pero nada de esto me asustó. Me acostumbré a todo tipo de ruidos mientras viví como un perro callejero en la gran ciudad metropolitana de Estambul. Estaba emocionado de ver a mucha gente, especialmente a los niños, mi edad favorita de los humanos, y a mi amigo Obi-Wan. Él comenzó a ladrar cuando olfateó a la hija de sus dueños en el desfile. Miré con orgullo cuando ella y sus amigas en el quipo de gimnasia hicieron movimientos elegantes y volteretas al pasar delante de nosotros. Nos tiraron golosinas cuando nos vieron. Yo siempre quería comida y me abalancé tirando de la correa para comerme una, pero Sidi me sujetó con fuerza y me regañó.

"¡Chance, no! Tu estómago es un pozo sin fondo. Te comerías todo lo que tengas a la vista si tuvieras la oportunidad. Siempre tienes hambre. Los dulces no son buenos para ti y menos el de chocolate. Te enfermarán. Tendrás un dolor de barriga y vomitarás por todas partes".

Si él supiera cuántos días pasé sin comer un bocado cuando vivía como un perro callejero, entendería mejor mi voraz apetito. La felicidad era encontrar cualquiera sobra para comer sin importar lo que fuera. Lloriqueé, pero obedecí. Todo el mundo se divertía. Aplaudieron y saludaron las banderas cuando desfilaron ante nosotros. Hasta Sidi se puso a bailar al ritmo del conjunto Steel Band cuando empezó a tocar. A él le gusta tocar la tumbadora y una vez trató de enseñarme a bailar salsa, pero fracasó porque no tengo ningún sentido de ritmo y me sentí un poco tonto. Después del desfile, Sidi me llevó a un parque pequeño a escuchar cantos patrióticos y testimonios de veteranos, quienes eran honrados por su servicio a la nación. ¡Qué sacrificio por nuestra libertad! Sus testimonios fueron conmovedores. Yo también estaba muy interesado en escuchar sobre un perro que honraban por su coraje en la guerra. Su entrenador y dueño comentó como Hickory, un perro pastor alemán, lo había salvado a él y a otros soldados alejándoles de una mina que explotó y le voló una de sus patas traseras. Sentí inmediatamente una gran afinidad con él. Intercambiamos miradas y ladré dejándole saber que lo admiraba por su lealtad y valentía.

Después de la ceremonia, cruzamos la calle y fuimos a ver la estatua de Ernest Hemingway, ganador del Premio Nobel de Literatura en 1954. Según Sidi, este famoso autor tiene estrechos vínculos con el norte de Michigan, muy en particular con Petoskey, donde pasó muchos veranos. Varias de sus novelas muestran su amor y apreciación por la cultura hispana. Sidi mencionó que le gustaba *El viejo y el mar* que leyó en la escuela secundaria. La acción de esta novela tiene lugar en Cuba y uno de sus temas es la lucha del hombre en la vida. Yo me puedo identificar con ese tema porque mi vida ha sido también una lucha por sobrevivir. Después de caminar por un rato, nos detuvimos en un puesto a comprar algo para comer. Me pareció un poco extraño cuando Sidi ordenó tres perros calientes. ¿Qué disparate pedir perros calientes! Alarmado, me pregunté si alguna vez me comería.

Bueno, resultó ser un tipo de salchicha envuelta en pan. Sidi me dio una y a pesar de su nombre, me comí este delicioso perro caliente en dos bocados. No me importaba comerme dos más.

Por la noche, fuimos al paseo marítimo a ver los espectaculares fuegos artificiales junto a la bahía. La gente aplaudió y gritó cuando los grandes fuegos artificiales explotaron en el aire en colores brillantes. Este fue de hecho una memorable celebración del 4 de julio para mí. Ladré varias veces durante los fuegos artificiales para expresar mi alegría y gratitud de poder celebrarlo con mi familia.

CAPÍTULO XXIV
SITUACIONES PELIGROSAS

Mi nueva libertad para ladrar fue muy útil. Ahora podía alertar y defender a mi familia en momentos de peligro. Si escuchaba algún ruido alrededor de la casa o alguien tocaba a la puerta, ladré y amenacé a quien fuera ladrando y gruñendo, aunque yo no soy un perro malo. Una noche impedí un robo en mi casa ladrando cuando mi familia dormía.

"¡Chance, cállate! ¡Lárgate! Son las tres de la madrugada. Eres una molestia. ¡Vete!", Sidi refunfuñó medio dormido y malhumorado.

Me detuve por un momento, pero volví a ladrar más fuerte y me puse frenético a dar vueltas. Por fin se levantó y me siguió hasta la puerta de atrás. Quienes fueron los ladrones huyeron despavoridos cuando me oyeron ladrar y estrellarme contra la puerta. La policía los capturó y nos enteramos después que habían confundido nuestra casa con la casa de una vecina mayor que había ido a visitar a su hijo en otra ciudad.

Otra vez, comencé a ladrar cuando olí humo que salía del horno. Por suerte, Joy estaba en casa. Corrí al dormitorio a despertarla. Pero sus ojos permanecieron cerrados y ella hacía un ruido silencioso cuando respiraba. Por fin, le ladré directamente en el oído para que no me ignorara ni un segundo más. Sus ojos se abrieron súbitamente de par en par, se quitó las sábanas de encima y saltó de la cama.

"¿Qué pasa Chance?", preguntó.

La llevé al horno humeante. Lo abrió y sacó del horno una manopla en llamas que alguien había dejado allí por descuido.

"¡Chance, eres un perro tan bueno!" dijo ella, besándome entre las orejas.

Me preguntaba si yo era yo lo suficiente bueno para que me adoptaran definitivamente.

En otra ocasión, protegí a Sidi cuando lo detuvieron en una calle tranquila llena de casas. Sidi estaba al volante cuando un patrullero nos siguió con las sirenas a todo volumen. Podía sentir la tensión aumentando en Sidi. El policía nos dijo por medio de su altoparlante que nos detuviéramos por completo a un lado de la calle. Comencé a ladrar y a gruñir cuando se acercó a nuestro automóvil.

Cuando Sidi bajó la ventanilla para hablar con este hombre, olí el metal de su pistola que observé inteligentemente colgaba del cinturón. Ya era hora de que asomara la cabeza por la ventanilla abierta, ladrar y gruñir para mostrarle que yo hablaba en serio y estaba listo para proteger a Sidi, mi señor. El dio un paso hacia atrás instintivamente poniendo su mano en la cartuchera de su pistola negra.

"Señor, ¿qué tipo de perro tienen ahí dentro? ¿Es un perro guardián?" preguntó, su voz temblando un poco.

"Señor, es un golden retriever. Una mascota de la familia. No es malo de ninguna manera. Ni siquiera lastimaría a una mosca. No sé por qué está actuando tan furioso. El no es así en absoluto", Sidi respondió con cortesía.

Pero yo seguía ladrando y gruñendo. El policía me miró con recelo y le dijo con autoridad.

"Usted tiene que calmarlo. No es nada amistoso. Es demasiado agresivo. Tiene que entrenarlo o tendrá serios problemas. Lo detuve porque usted conducía a 35 millas por hora y el límite de velocidad es 25 millas. También no se detuvo lo suficiente en la señal de parada. Necesito su licencia de conducir, papeles de seguro y el registro del coche".

Sidi seguía defendiendo su caso mientras intentaba desesperadamente encontrar los documentos en la guantera llena hasta el tope con muchos tamaños de papeles.

"Si cometí las infracciones que usted menciona, lo siento. No vi la señal del límite de velocidad porque unas ramas la ocultaban. Creo que también me detuve lo suficiente en la parada".

."Señor, lo que usted cree y lo que usted hizo son dos cosas diferente", dijo el policía en un tono irritado.

"Bueno, dese prisa. ¿Ya encontró los documentos que solicité?"

"Sí, señor", contestó Sidi, entregándole los documentos. "Disculpe la demora. Los acabo de encontrar. Aquí los tiene".

El policía tomó los documentos y se fue a la patrulla para comprobar si estaban en regla. Por fin, regresó después de una larga y tensa espera mientras Sidi me acariciaba la cabeza para calmarme.

"Los documentos están en orden, pero ponga más atención la próxima vez. El límite de velocidad puede cambiar súbitamente de una calle a otra. Deténgase por completo la próxima vez".

El policía regresó a su patrulla y nos siguió por un rato. ¡Qué alivio cuando desapareció del retrovisor del automóvil! No pude evitarlo. Si le ladré y le gruñí al policía fue porque lo vi como una amenaza y estaba protegiendo a Sidi. Ahora sé que es un buen patrullero que desempeñaba sus funciones. Tuvimos mucha suerte porque sólo nos dio una advertencia en vez de una multa.

Ahora que he demostrado tres veces que soy un heroico protector no puedo evitarlo, pero tengo la esperanza que por fin Sidi me adoptará.

CAPÍTULO XXV
VIAJES INTERESANTES

No viajé mucho cuando vivía en Turquía. Mi familia siempre me dejaba atrás encerrado en una jaula bajo el "cuidado" de Mustafa, abatido y decepcionado en tristeza y amargura. Pero ahora todo ha cambiado. Mi nueva familia siempre me incluye en sus planes de viaje. El pasado otoño viajamos al norte a un pueblo que se llama Cross Village. En camino, pasamos por el pintoresco pueblito de Harbor Springs con sus boutiques de moda y hermosas vistas del Lago Michigan, un lago con grandes olas y tan inmenso que no podía ver la otra orilla. Luego, nos detuvimos en la aldea de Good Hart donde conocimos a la familia Murillo de Madrid, España. Yo amo a los niños y me emocioné cuando su hijo Rafa me pidió que jugara con él al fútbol. Lo perseguí ladrando mientras dribleó el balón de fútbol de un lado a otro como Alí lo hacía cuando jugué con él. Rafa le rogó a su mamá que adoptara un perro de Turquía también, pero otra vez escuché las mismas palabras de siempre de las madres cuando sus hijos les piden una nueva mascota: "Ya veremos." Ojalá se den cuenta lo que significa una respuesta afirmativa de "sí" para nosotros los perros y gatos esperando en un refugio a que nos adopten.

Mientras jugamos, los adultos hablaron que gran ciudad era Madrid con sus muchos buenos restaurantes, grandes museos y actividades culturales. Sabía de las muchas conversaciones que había escuchado en casa, que Madrid había sido un lugar especial para Sidi. Vivir allí lo reconectó con sus raíces hispanas de hace mucho tiempo. Mi familia hubiera podido quedarse más tiempo compartiendo sus fabulosas experiencias madrileñas, pero ya era hora de marcharnos. Sidi manejó despacio a propósito para que disfrutáramos del hermoso paisaje del Lago Michigan y el conocido Túnel de los Árboles—una carretera de dos carriles bordeada de árboles altísimos.

Cuando llegamos a Cross Village, condujimos por el centro. Sidi se quejó que había una explosión de gente dando vueltas y le fue difícil estacionarse cerca de las tiendas.

Yo disfruté de la atención que recibí de los turistas, especialmente de los niños que les rogaban a sus padres que me acariciaran. La gente se sorprendió cuando supieron que yo era un perro callejero de Turquía. Entonces, querían saberlo todo de mí—mi nombre turco, mi edad y si había llegado a los Estados Unidos por barco o por avión. Otros preguntaron si yo entendía turco, inglés o español. La verdad es que sólo entiendo una cuántas palabras en cada una de estas lenguas, pero las órdenes de Sidi se me grabaron en mi cerebro de perro. También tengo muchas otras formas para comunicarme. Ladrar está a la cabeza, pero también gruñir, oler y mover la cola son importantes. Yo definitivamente sé cómo reaccionar al lenguaje corporal y al tono de voz. Sidi me llama en español si me porto mal.

"Chance, ¿dónde estás? Oye, ven acá ahora mismo. Oye, ahora mismo".

Yo no entiendo todo lo que él me dice en español, pero

siempre respondo de inmediato cuando su lenguaje corporal y el tono de su voz significan que está enfadado.

Mientras caminamos por la aldea, el delicioso aroma a comida que salía de las cocinas de los restaurantes me hacía babear. No pudimos encontrar un restaurante que acogiera mascotas. Pero encontramos algo aún mejor—una mesa de picnic donde tuvimos un festín con la comida que Joy había comprado en camino. Después que me dieron agua a beber, mi familia me llevó a un sitio apartado a evacuar. Podía haberlo hecho en cualquier lugar ya que nosotros los perros no nos avergonzamos por este tipo de cosas. Pero mi familia tuvo dificultades en encontrar un sanitario disponible y decidieron regresar a casa lo antes posible. Sidi estaba furioso y continuó diciendo.

"¡Qué chiste! Más nunca regresaremos a este pueblo en un fin de semana. Demasiados turistas, ni un baño público disponible y no hay un restaurante acogedor de mascotas tampoco".

Supongo que los humanos tienen sus problemas también.

Nuestro segundo viaje fue a *Mackinac Island*, más conocida como "La Joya de los Grandes Lagos". Salimos tempranos en un agradable día soleado. Nos detuvimos en *Mackinaw City* para tomar el ferry a la isla. Ya había un montón de turistas dando vueltas y todos querían acariciarme. Yo, desde luego, me veía mucho mejor después de visitar la peluquería canina el día anterior.

Mi familia me llevó al ferry. Nunca había visto uno antes. Era como un coche grande, pero se movía sobre el agua. Quería sentarme en la cubierta superior donde podía sentir el fuerte viento soplar mis orejas hacia atrás, pero mi familia me llevó escaleras abajo a la cubierta inferior. Allí estaba más cálido, pero era un poco aburrido. La travesía no duró mucho tiempo y traté de no ladrar a las olas. Después de atracar, caminamos hacia el bullicioso y ruidoso centro comercial con sus muchas tiendas para turistas y pastelerías. Ladré varias veces a unos caballos gigantes con patas enormes, cuellos largos y colas que levantaban cuando evacuaban. Me enteré más tarde que eran Clydesdales, caballos que se conocen por su fuerza y nobleza. Su trabajo era tirar de un carruaje para los humanos que querían dar un paseo por la isla. Decidimos subir a un carruaje. El guía nos dijo que nos sentáramos en la parte de atrás y que yo podía beber si tenía sed del cubo de agua para los caballos. Fue un paseo maravilloso en carruaje. El guía nos contó la historia de todos los lugares que visitamos, pero lo que me gustó más fue visitar el histórico y acogedor Fuerte Mackinac y estar en el parque dónde la gente volaba cometas y jugaba al frisbee. Sidi dejó bien claro que no me permitía perseguir los frisbees y mucho menos las gaviotas. Pero no pude aguantarme y me fui tras las ardillas que él no había mencionado. Atrapé una por el cuello y la maté enseguida antes de que Sidi me alcanzara. Él estaba tan decepcionado conmigo para siquiera gritarme. Bajé la cabeza y me sentí avergonzado.

Antes de salir del parque, nos detuvimos frente a la enorme estatua de bronce en honor al misionero y explorador Jesuita Pere Jacques Marquette. Le recordó a Sidi la estatua que hay en La Universidad de Marquette en Milwaukee, Wisconsin donde enseñó por muchos años. Después regresamos al centro comercial y buscamos un restaurante que acogiera mascotas donde pudiéramos comer al aire libre. Tenía tanta hambre y sed. Por fin, encontramos uno un poco alejado del centro. Fue aquí donde conocimos a Adem, un joven turco, quien estudiaba medicina veterinaria en una universidad.

¿Qué universidad? Joy le preguntó.

"Michigan State University. Estoy en mi último año", respondió Adem. "Tan pronto me gradúe planeo regresar a mi ciudad natal".

Él sabía de los cientos de perros callejeros que corrían por las calles de Estambul y estaba muy contento de que yo había sido rescatado. Cuando Sidi le contó que yo había matado la ardilla en el parque, delante de los consternados jugadores de frisbee, él comentó que no era fácil para los perros callejeros adaptarse a una vida familiar después de tanto tiempo sueltos en las calles. También dijo que él y un amigo veterinario pensaban abrir una clínica de rehabilitación en Turquía para perros callejeros. Sidi y Joy se quedaron hablando con él por un rato y después caminamos despacio hacia el muelle para tomar el ferry de regreso a *Mackinaw City*. Nos sentamos otra vez en la cubierta inferior porque todavía hacía mucho viento y el lago estaba picado. Regresamos a casa cansados, pero alegres. *Mackinac Island* era de verdad una isla mágica y estuvo a la altura de su reputación cómo un lugar maravilloso para visitar. Además, allí conocimos a Adem que planeaba abrir una clínica de rehabilitación para ayudar a perros callejeros como yo.

A pesar de este final feliz, me preocupaba si Sidi me perdonaría por haber matado a la ardilla enfrente de los turistas horrorizados.

Pensaba que habíamos terminado con nuestros viajes de vacaciones cuando un día escuché que mi familia hablaba de visitar un lugar que se llamaba *Sleeping Bear Sand Dunes*. ¿Qué estaba pasando? ¿Por qué visitar un lugar dónde hay osos? Los osos son peligrosos. Pensé que no me gustaría ir, pero comencé a sentirme mejor después de escuchar sobre el origen de este nombre. Joy comentó que según una leyenda Ojibwe una osa y sus cachorros salieron huyendo de un feroz incendio hacia el Lago Michigan. Una vez que la madre osa llegó, se subió encima de un acantilado a esperar por sus exhaustos cachorros que no llegaron. El Gran Espíritu Manitou creó en honor de los dos cachorros las Islas Manitou Norte y Sur para señalar donde se ahogaron. La madre osa ahora, en la figura de una inmensa duna, espera fielmente el regreso de sus dos cachorros algún día.

Viajamos a este intrigante lugar temprano en una fresca mañana otoñal. Primero, nos detuvimos en el pueblo de Traverse City más conocido nacionalmente como "La Capital Mundial de las Cerezas". Sidi había trabajado en este pueblo varios veranos como intérprete ayudando a los migrantes latinos que venían a trabajar en las cosechas, sobre todo en la de cerezas. Nos detuvimos brevemente en un restaurante acogedor de mascotas para desayunar y luego fuimos al parque nacional donde vimos unas vistas impresionantes de las dunas, el Lago Michigan, y las Islas Manitou en honor de los dos cachorros de oso. Me gusta nadar y me puse muy contento cuando manejamos a las orillas del lago para caminar. Vimos varios perros que caminaban en la arena fina con sus dueños mientras otros jugaban con las olas. Olfateé entre ellos un perro que me recordaba a Grandote. Corrí a oler su trasero tan pronto me quitaron la correa. Era Grandote, mi amigo de Turquía. No podía creerlo. Estaba tan contento que él había logrado venir a los Estados Unidos. El movimiento de su cola y sus ojos brillantes me decían cuánto amaba a su nueva familia y lo feliz que estaba que le habían dado una segunda oportunidad también. Después de nadar y caminar a orillas del lago por un rato, era hora de comer algo. Joy sugirió que fuéramos a *The Shipwreck Café* para comer algo de su deliciosa comida antes de regresar a casa. Estaba hambriento y devoré en un santiamén mi comida favorita, una jugosa hamburguesa con queso. Me gustan las hamburguesas y podía haberme comido otras diez. Esto era un paraíso. ¡Qué manera de terminar este gran viaje! Ver otra vez a mi amigo Grandote y saber que él estaba feliz con su familia permanente. Ojalá yo pudiera saber que la mía era para siempre también.

CAPÍTULO XXVI
DÍA DE ACCIÓN DE GRACIAS

El invierno se aproximaba y las hojas brillantes se habían caído dejando los árboles desnudos. Me gusta esta estación. Perseguí las últimas hojas que volaban y rodé en una gran pila, luchando con Sidi. Durante un paseo frío con Sidi y Joy, me enteré de la celebración del Día de Acción de Gracias, una fiesta que se remonta a muchos años atrás que celebra el festín compartido en el otoño de 1621 entre los Peregrinos y los indígenas Wampanoag.

Mi familia estaba muy emocionada y ocupada mientras se preparaba para celebrar su propio festín con amigos y parientes. La noche antes del Día de Acción de Gracias, Joy puso la mesa con una porcelana que había heredado de sus parientes holandeses y los coloridos vasos de España. La cocina se convirtió en el centro de actividad y suculentos aromas llenaron la casa. Mientras más olía la comida más hambre tenía. Antes de que se sirviera la deliciosa cena, casi todos salieron al patio a jugar a algo que llamaban Fútbol Americano, con una pelota ovalada, pero yo decidí quedarme dentro de la casa. Agarré una pata de pavo de la fuente que estaba en la cubierta de la cocina y corrí a meterme debajo de la mesa. Justo cuando me tragué el último bocado, hueso y todo, Joy se dio cuenta de lo que había hecho y me gritó. Sidi me agarró por el collar y me llevó a la puerta donde me empujó hacia fuera. Una vez en el patio, ladré para que me dejaran entrar, pero no me hicieron caso. Ahí fue cuando decidí jugar a ese extraño juego de correr tras esa pelota rara que la lanzaban en el aire y los humanos se amontonaban sobre la persona que la atrapaba. Ladré y los animé, pero la pelota era muy grande para mi boca para atraparla y correr con ella.

Después de un rato, Joy nos llamó cuando la comida estaba lista. Joy y Sidi todavía estaban enojados conmigo y solo me permitieron echarme debajo de la mesa después que todos se sentaron a comer. Luego los escuché compartir sus recuerdos y dar gracias por sus bendiciones. Cuando mencionaron mi nombre, golpeé alegre mi cola contra el suelo para expresar que yo también estaba agradecido. Agradecido porque los niños seguían dándome pedacitos de pavo y jamón debajo de la mesa. Agradecido de no tener más hambre. Pero más que nada, agradecido de ser bendecido con una maravillosa familia en mi primer Día de Acción de Gracias, aunque podría ser mi último día festivo con ellos.

CAPÍTULO XXVII

LA NAVIDAD

Pero no fue así. Poco después del Día de Acción de Gracias, comencé a escuchar sobre la Navidad. Pensé que era raro cuando Sidi y Joy pusieron un árbol real en la casa. Todavía tenía un agradable aroma al aire libre y el olor de ardillas y pájaros. Observé como procedieron a decorarlo con vistosos ornamentos y lucecitas y pusieron hermosos regalos envueltos debajo de él. Aprendí que para ellos la Navidad era más importante que un árbol bonito, las decoraciones y los regalos. Era una alegre ocasión religiosa que celebraban con fidelidad y con gran devoción. Según ellos, es el momento cuando honramos el nacimiento del niño Jesús, el regalo de Dios a la humanidad, con su mensaje de alegría, amor, paz y esperanza para todos. Mi familia encendió el árbol de Navidad todas las noches y tocaron villancicos en español e inglés. Sus villancicos favoritos eran *Noche de Paz*, *Blanca Navidad* y *El Tamborilero*. La casa la decoraron con motivos navideños, especialmente con la flor de Pascua, su flor favorita. Me advirtieron que no comiera las hojas porque podían envenenarme. Joyce preparó otra vez una deliciosa cena para la Navidad y varios familiares vinieron a celebrarla con nosotros. Después que se sentaron a la mesa, me metí debajo de ella y los niños me alimentaron otra vez.

Una vez que terminaron de cenar, se levantaron y fueron a sentarse alrededor del arbolito a abrir los regalos. Se rieron mucho al abrirlos. Me sorprendí al recibir dos regalos. Uno era un gracioso peluche de pájaro que hacía ruido cuando lo mordía y el otro una bolsita llena de golosinas para limpiarme los dientes. Lo que en realidad yo deseaba más que nada, era el pedazo de pavo que habían dejado en la bandeja encima de la mesa. ¡Qué día tan maravilloso fue para todos!

Empezó a cambiar el tiempo después de la Navidad y cayó mucha, mucha nieve. ¡Había visto copos de nieve en Turquía, pero nada como esto! Me encanta rodar en la nieve y cavar túneles para buscar conejos y otros animales. Como yo tengo doble pelaje, estaba más que listo para salir y disfrutar de todas las maravillas que el paraíso invernal ofrecía.

CAPÍTULO XXVIII
PASEOS INVERNALES

El paisaje invernal aquí puede ser espectacular en un día soleado. Me gusta mucho cuando salgo con Sidi a caminar en raquetas de nieve. Siempre estoy listo para salir, pero a él le toma mucho más tiempo. Tiene que asegurarse que está vestido con la ropa apropiada para este tipo de salida. Es muy divertido salir a caminar en raqueta de nieve por el bosque, pero hay que tener mucho cuidado con el tiempo porque puede cambiar súbitamente en cualquier momento. Siempre me quedo cerca de él excepto cuando ladro a un ciervo o persigo ardillas y conejos. Pero odio cuando se me incrusta hielo en las patas. ¡Ay, sí que duele! Todavía recuerdo ir de pesca en el hielo con Sidi a un lago cercano, en un día tempestuoso y sumamente frío. No había casi nadie en el lago cuando llegamos. Sidi puso la chabola, taladró un agujero en el hielo y se sentó en un banquito a esperar que picara algún pez. Mientras él se quedó pescando, yo me divertía ladrando y persiguiendo los pájaros y un par de cisnes agresivos que protegían una parte descongelada del lago, donde todavía podían alimentarse. Después de que se fueron volando, regresé adónde estaba Sidi, todo mojado y con pedazos de hielo incrustados en las patas. El me regañó mientras trató de quitármelos.

"Chance, que tonto eres. ¿Cómo es qué te metiste en

el agua? Hace mucho frío y ahora te duelen las patas. Te advertí que no te metieras con los cisnes. Son agresivos y te pueden picotear".

Nos sentamos por mucho tiempo y no pescamos un solo pez. No me quejé, pero que alivio cuando Sidi por fin decidió irse porque se acercaba una tormenta de nieve. Camino a casa me puso en un aprieto, cuando me preguntó si quería pescar en hielo otra vez.

"Chance, ¿qué te parece si regresamos mañana? El tiempo estará mejor y los peces empezarán a picar otra vez".

¿Me estaba tomando el pelo? ¿Sentarme alrededor de un agujero oscuro y húmedo por tantas horas y congelarme la cola y patas? No estaba interesado, pero ladré que "sí" solo para apoyarlo. Por fortuna, enormes tormentas de nieve azotaron el área las dos próximas semanas y tuvimos que quedarnos en casa.

De igual manera, tuvo que cancelarse la visita a un suntuario en el pueblo para ver sumergido en el fondo de la bahía, un enorme crucifijo de mármol italiano que honra a todos los que han perecido en el agua.

¡Estupendo! pensé. Me puse muy contento cuando no fuimos porque ahora tenía más tiempo para visitar con mi amigo Obi-Wan y contarle mi experiencia de pescar en el hielo."

CAPÍTULO XXIX

PERDIDO EN EL BOSQUE

Caminar por el bosque es siempre interesante y muy divertido, especialmente persiguiendo ardillas y otros animalejos. Sidi confiaba en mí y me dejaba correr suelto para explorar, pero nunca me alejé demasiado. Un atardecer otoñal, después de caminar por varias horas, noté ansiedad e irritación en su voz.

"Estoy muy enojado conmigo mismo", me dijo. "¡Qué idiota soy! Me entretuve buscando unas setas especiales y no me fijé que sendero tomaba. Ahora estoy perdido. Para el como, no puedo llamar a nadie. Estamos muy adentro en el bosque y el teléfono celular no capta ninguna señal".

Sidi sacó de nuevo su teléfono del bolsillo e intentó otra vez obtener una señal, pero sin suerte. Se sentó exasperado en un tronco y me llamó a su lado.

"Chance, está oscureciendo y todos los árboles se parecen iguales. No tengo ninguna idea cómo salir de aquí. Prepárate. Es muy posible que tengamos que pasar la noche aquí".

Se levantó y siguió caminando en círculos repitiendo que no tenía ni idea dónde estaba. Por fin, se detuvo y se sentó en otro tronco. Podía sentir su tensión subir mientras apoyé mi cabeza en sus piernas.

"Chance", preguntó él. "¿Sabes cómo sacarnos de aquí? ¿Cómo llegar a casa?"

La palabra mágica fue casa. Cuando la escuché me emocioné. Comencé a ladrar y a dar carreritas y brinquitos delante de él para que me siguiera. Por fin lo hizo. Se levantó del tronco, recogió la bolsa de setas y me siguió mientras yo movía mi cola rítmicamente.

"¡Hala, Chance!"dijo. "¡Hala! Muéstrame el camino a casa. Te seguiré".

Me animó todo el camino hasta que por fin llegamos a un sendero que él reconoció, marcado por dos abedules que crecieron juntos. Ahora se sentía seguro dónde estaba y comenzó a elogiarme.

"¡Guau! Chance, lo lograste. Eres un perro bueno e inteligente. ¡Vámonos a casa!"

Estaba tan contento escuchando lo que me decía que seguí ladrando y trotando delante de él hasta que llegamos adónde el coche estaba aparcado. Me dio una golosina especial antes de prender el coche y conducir a casa. Joy corrió hacia el coche tan pronto llegamos. Su rostro estaba tenso por la preocupación. Apenas había abierto la puerta de la casa, cuando Sidi comenzó a contarle lo que había hecho.

"Cariño, Chance es un soldado. Un perro extraordinario. No presté mucha atención recogiendo tus setas favoritas y me perdí en el bosque. No te pude llamar porque el teléfono celular no funcionó en el bosque".

Sidi siguió contándole como yo sentí su frustración y empecé a ladrar, dando carreritas y brinquitos y mirando hacia atrás para ver si él me seguía.

"Yo lo seguí y ahora estamos aquí. De lo contrario, estarías todavía muy preocupada llamando a la policía. Chance es un perro increíble. Es un guardián. Mañana mismo llamo a la organización de rescate para pedirle que cambien nuestra situación adoptiva a una permanente como sus dueños. Chance es un perro asombroso y somos muy afortunado de haberlo rescatado".

Me sobrecogió escuchar lo que decía. Lamí las manos de Sidi y luego las de Joy también, moviendo la cola en círculos. Joy me miró, y luego miró a Sidi y le preguntó. "¿Crees que él entendió lo que dijiste?"

Bueno, yo no pude entender exactamente sus palabras, pero cómo dije, soy muy bueno para captar el lenguaje corporal y el tono de voz de Sidi. El me ha dado un sentido de propósito y equilibrio en mi vida. Mi viaje había sido largo y difícil, pero había llegado a mi destino final. Había encontrado a mi familia para siempre.

CAPÍTULO XXX

MIEDO SIN PRECEDENTES

La vida era buena y yo estaba muy feliz, pero de pronto todo cambió dramáticamente. Seguía escuchando a mi familia hablar de algo que sonaba a Covid. Pensé que hablaban de tener otro perro que se llamaba Colby. Descubrí que esto no era de lo que hablaban. Estaban preocupados por un virus letal que se extendía como un incendio forestal por todo el mundo. Pude sentir el miedo y el pánico en Sidi cuando una noche, en la que normalmente duermen profundamente, Joy se enfermó violentamente. Metí el hocico en sus manos y sentí que su piel estaba caliente y olfateé el olor de un virus en su aliento. Me puse muy agitado cuando los paramédicos vinieron y se la llevaron de urgencia al hospital en una ambulancia. Por suerte, no tenía el coronavirus sino un caso grave de la gripe. Pero Sidi recibió durante la semana una urgente llamada telefónica sobre su hermana menor que fue menos afortunada. Ella contrajo el virus y se murió sola en el hospital. Mi riesgo de contraer el coronavirus es bastante bajo, pero me duele ver como ha impactado a todos, especialmente a mi familia.

EPÍLOGO

Me uní a todos en mi nueva familia de inmediato, pero en especial con Sidi. Me enteré más tarde que teníamos mucho en común cuando él compartió algunas experiencias de su vida mientras andamos por el bosque, paseamos por el paseo marítimo, buscamos las famosas piedras de Petoskey, caminamos en raqueta de nieve o vimos las impresionantes puestas de sol en Little Traverse Bay.

Pero ahora voy a dejar que Sidi cuente su propia historia.

Mi historia como la de Chance ha tenido muchos altibajos. Es una larga historia llena memorias personales y hechos que han contribuido en gran medida a hacerme quien soy y en lo que creo. Los dos huimos de gente malvada y vengativa y apreciamos la libertad. Creemos en la bondad de las personas y en una segunda oportunidad en la vida. Yo era joven y estaba muy aprensivo como tú cuando vine a los Estados Unidos. No fue una decisión fácil de tomar, pero no había futuro para mí en mi país. Había una agitación política en ese momento y yo quería irme, pero mi madre temía que no nos volveríamos a ver otra vez si me iba. Sin embargo, ella quería lo mejor para mí e hizo el máximo sacrificio de una madre. Me dio su bendición para que pudiera continuar mi educación.

No la vi a ella, a mi padre, a mis hermanos y hermanas por veinticinco años debido a la tensión política entre mi país y los Estados Unidos. Chance, la vida no ha sido fácil para ninguno de los dos. Pero pase lo que pase, tenemos que mantenernos positivos y tener fe que sí se puede con la ayuda de Dios.

Tuve la suerte de que muchas personas me abrieron puertas en el camino y me dieron una segunda oportunidad. Afortunadamente, una familia en Big Rapids me patrocinó cuando llegué a los Estados Unidos y me acogió como mi familia estadounidense permanente cuando estaba bien claro que no podía regresar a mi país. Todavía nos vemos a menudo y mi hermana patrocinadora, Jeanne Willoughby, incluso creó bellos dibujos de ti para este libro.

Le di el nombre de Chance porque él, como yo, como todos nosotros, merecemos una segunda oportunidad en la vida. Su viaje ha sido arduo, pero él está feliz ahora que ha encontrado por fin su familia humana permanente.

Le escribí a Adem, el joven estudiante de Estambul que Chance conoció en uno de nuestros viajes, sobre la información en su microchip turco. Le pedía si podía conseguir más información sobre su antigua familia. Esto fue lo que escribió.

Estimado Señor Alba.
Fue muy grato recibir noticias suyas. Todavía me acuerdo de usted, su encantadora esposa y Chance. Desde el momento en que regresé a Estambul, mi amigo Said y yo hemos abierto una clínica de rehabilitación como habíamos planeado para perros callejeros como Chance. Respecto a la información que me pidió de la familia antigua de Chance esto es lo que descubrí. Alim y su esposa Soraya murieron, pero sus hijos viven con unos familiares en el pueblo de Yenimahalle en el distrito metropolitano de la provincia de Ankara en

la región central de Anatolia. Aceyla está ahora en la escuela secundaria y quiere ser una maestra de música como su madre. Alí estudia derecho internacional en la Universidad de Ankara y todavía juega al fútbol. Ellos estaban muy contentos de saber que Scoit, su antiguo nombre, ha encontrado una nueva familia en los Estados Unidos. Ellos dicen que lo quieren y le desean lo mejor. Les gustaría tener una foto de él con su familia. Si la quiere, puedo darle la dirección de Alí.

Espero que ahora no haga demasiado frío en Michigan. Todavía me acuerdo de las tremendas tormentas de nieve que tuvimos cuando vivía en East Lansing. Puede escribirme cuando quiera.

Sinceramente su amigo,
Adem Cetin

Yo sé que si Chance pudiera entender el destino de Soraya, se sentiría abrumado por la tristeza. Otra vida robada como la de Alim. Pero se alegraría de saber que Alí y Aceyla están a salvo y que lo recuerdan.

Estoy muy contento por Chance. El es un perro asombroso que ha estado a la altura de su potencial e incluso mucho mejor. Chance nos ha enseñado mucho sobre la paciencia y el amor incondicional. Tenemos la suerte de haberlo rescatado y esperamos tenerlo con nosotros durante muchos años por venir.

El mundo sería un lugar mejor si todos tuviéramos la habilidad de amar incondicionalmente como un perro.

–M. K. Clinton, autora de *The Returns/ Los regreso*s

VOCABULARIO:

Turco:		Español:
Aslan	-	León
Cemil	-	Hermoso
Git	-	¡Ve! ¡Ándale!
Habib	-	Amado
Iyi köpek	-	¡Perro bueno!
Sidi	-	Mi Señor
Tombul	-	Regordete
Zeka	-	Inteligente

SOBRE EL AUTOR

Armando emigró de Cuba a los dieciocho años de edad para estudiar inglés en Ferris State University en Michigan. Fue patrocinado su primer año por una familia de Big Rapids, sus salvadores, con la cual se ha mantenido en contacto por más de cinco décadas. Jeanne Willoughby, la ilustradora del libro, es su hermana patrocinadora

Armando González-Pérez es profesor emérito de Marquette University. Recibió su doctorado (Ph.D) de Michigan State University. Enseñó por muchos años en la Facultad de Lenguas, Literaturas y Culturas de Marquette University. Ha publicado numerosos trabajos esenciales sobre literatura afro-cubana incluyendo los libros siguientes: *Antología clave de la poesía afroamericana; Acercamientos a la literatura afro-cubana: Ensayos de interpretación; Presencia negra: teatro cubano de la diáspora; Voces femeninas en la poesía cubana contemporánea.*

SOBRE LA ILUSTRADORA

Oriunda de Michigan, Jeanne obtuvo títulos en Arte y en Inglés de Michigan State University. Estudió en Falmouth School of Art en Inglaterra donde desarrolló su interés por la animación que culminó en la creación de Contratempts of Pariah, película animada en color de 16 mm. Después de mudarse a San Diego, California, sacó su Maestría en Tecnología Educativa y trabajó por tres décadas como diseñadora educativa. Ilustró en 1985 Everything is Okay de Steve Kowit, luego cooperó con CJ Minster ilustrando dos libros educativos para niños, *We're All Peas in a Pod* y *Do you Know me?* Diseñó la cubierta del libro *The American Religion in General*, escrito por R. E. Willoughby en 2006. Después de jubilarse en 2017, Jeanne sigue trabajando en varios proyectos y vive feliz con su pareja y dos caniches stándard.

Made in the USA
Columbia, SC
11 August 2021

43271519R00183